후
아
유

후
아
유

이향규 지음

차례

프롤로그

제 이름이 아닌 것으로 불리는 사람들과
그 곁에 있는 이들을 위해
글을 쓴다고 생각했다, 처음에는.

그들을 한 무리로 보지 말고
한 사람 한 사람으로 대하자고 말하다가
그 주장 역시 어쩌면
내가 주류 집단의 안락의자에 앉아
소수집단을 어떻게 봐주자고 말하는
마음 편한 훈수일 수 있다는 생각이 들었다.

나를 보호해 주었던 많은 것들을 한국에 두고 왔다.
내 힘으로 서려는데 버티는 다리에 힘이 별로 없다.
이웃들은 친절하고 나는 차별을 받고 있지도 않은데
마음이 자꾸만 위축되어

지금 나는 당당하게 나로 살고 있다고 말하기가 어렵다.

한국에서 다문화 가족으로 살았다.
사람들에게 우리를 어떻게 봐 달라고 요구했다.
한동안 이주 청소년과 이주 여성을 위해 일했다.
그들을 어떻게 봐주자고 주장했다.

영국에서는 내가 이주민이 되었다. 비로소 알았다.
사람들에게 나를 어떻게 봐 달라거나
우리가 타인을 어떻게 봐주자고 하기 전에
내 자신이 나를 어떻게 보는지를 먼저 물었어야 한다는 것을.
내가 나를 고유한 존재로 본다면
다른 이도 그런 눈으로 볼 수 있기 때문이다.

이 책은 내 이야기이고
내가 만난 사람들의 이야기이기도 하다.
그들의 이야기를 하려다가 내 이야기가 되었고
내 이야기를 하다가 그들의 이야기가 되기도 했다.
이야기가 씨실 날실로 엮여서 이제 누구의 것인지도 모르겠다.

낯선 곳에서 길을 잃었다고 생각했는데

길은 걸은 만큼 만들어진다는 것을 겨우 알았다.
결과적으로 이 글은 나를 위해서 썼다.
새로운 곳에서 삶을 다시 꾸려야 하는
나를 응원하기 위해서.

이 글이
어딘가에 뿌리내리기 위해 애쓰는 당신에게
힘이 된다면 기쁘겠다.
그리고 언젠가 혼자 힘으로 낯선 곳에서 살게 될 당신에게도
들을 만한 이야기가 된다면 좋겠다.

욕심을 더 내서, 내가 사랑하는 대한민국이
그런 한 사람 한 사람을 격려하는 사회가 되는 데
조금이나마 도움이 된다면
더 이상 바랄 것이 없겠다.

그와
그녀가 만났다

왜 이 사람과
결혼하나요?

학생들이 그에게 물었다.

"왜 한국 여자와 결혼하세요?"
"나는 '한국' 여자와 결혼하는 게 아니에요.
나는 '이' 여자와 결혼하는 거예요."

나는 2000년 9월에 결혼했다. 남편의 긴 이름은 앤서니 찰스 에드워드 뱅크스(Anthony Charles Edward Banks)이고 나는 그를 토니 (Tony)라고 부른다. 결혼할 때쯤 우리는 둘 다 서울대학교에서 일하고 있었다. 그는 대학 어학원에서 영어를 가르쳤고, 나는 박사학위를 마치고 시간강사를 하고 있었다.

학생들의 질문은 왜 한국 여자와 결혼하느냐는 거였다. 이 서양 남자가 한국 여자를 선택한 데는 뭔가 서양 여자와 다른 '한국 여

•

자'의 좋은 점이 있다고 생각했을 것이다. 학생들은 그가 한국 여자가 얼마나 좋은지 말해 주기를 기대하고 있었다. 그가 한국 여자는 친절하고 예쁘고 능력 있고 겸손하다고 말했다면 이 젊은 학생들은 자기가 칭찬받는 것처럼 기뻐했을 거다. 거기에 덧붙여서 농담 반 진담 반으로 서양 여자는 너무 독립적이어서 때때로 부담스럽다고 이야기하면 같이 어색하게 웃으면서 고개를 끄덕였을지도 모른다. 하지만 그의 대답은 간단했다.

"나는 '한국' 여자와 결혼하는 게 아니에요. 나는 '이' 여자와 결혼하는 거예요."

학생들은 "아……" 하고 노래하듯 감탄사를 길게 내뱉었고 로맨틱한 눈으로 이 젊은 선생님을 바라봤다.

그 시절 나도 비슷한 질문을 받았다. 사람들은 내게 왜 한국인이 아닌 남자와 결혼하는지를 물었다. 나는 그 물음에 머리가 복잡해지고 마음이 편치 않은 날이 많았다.

부모님을 포함해서 가까운 어른들은 먼저 걱정부터 했다.

"국제결혼은 평생 이방인하고 사는 느낌이라고 하더라."

"문화 차이 때문에 힘들 텐데."

"너희는 좋아서 결혼한다지만 자식들은 무슨 죄니."

이들은 '혼혈'이나 '튀기'로 불리던 눈 큰 아이들과 그 아이들을 바라보는 사람들의 시선이 머릿속에 떠올랐을 거다. 믿기 어려운 일이지만 심지어 "혼혈 2세는 저능아가 나온다더라" 하는 이야기를 진지하게 하는 사람도 있었다. 이들이 왜 이런 걱정을 하는지 이해할 수는 있었지만 이런 이야기를 계속 듣는 것은 유쾌한 일이 아니었다. 하지만 이방인과 함께 사는 고독감과 답답함이 얼마나 큰지, 2세가 어떻게 태어날지 아직 경험해 보지 않은 상태에서 "걱정 마시라"라고 확신에 차서 이야기할 수도 없고, "나도 걱정이다"라며 덩달아 불안해할 수도 없는 일이었다. 그저 어른들의 이야기이니 듣고 있을 수밖에.

어떤 이들은 내게 노골적으로 실망감을 표현했다. 나는 대학원에서 북한의 교육에 대해 논문을 썼고, 남북한 분단 체제의 교육을 비교하고 통일이 된 뒤의 교육에 대해 고민하고 있었다. 말하자면 '민족문제'에 관심이 있는 '애국 애족'하는 젊은이로 보였을 것이다. 그런데 외국인과 결혼하겠다니, 그것도 제국주의 국가에서 온, 식민지의 고통이라고는 전혀 경험해 보지 못했을 사람과 말이다. 그 시절의 나는 이 비난에서 자유롭지 못했다. 그래서 "민족문제를 고민하는 자네가 어떻게 이런 선택을 할 수가 있냐"는 교수의 질책을 가볍게 넘길 수 없었고 오랫동안 구술을 채록하고 있던 비전향 장기수 김석형 선생께는 끝까지 결혼 소식을 알리지 못했다.

내 친구들은 대부분 '한국 남자'와 결혼하지 않는 것을 지지했고 더 나아가 이것이 얼마나 현명한 선택인지를 이야기해 줬던 것 같다. 한국의 시댁은 공부 많이 한 며느리가 자기 뜻대로 자유롭게 사는 데 절대로 도움이 안 된다고 했고, 한국 남자는 아무리 본인이 노력해도 가부장주의의 그늘을 벗어나기 어렵다고 했다. 먼저 결혼한 친구들의 이야기를 들으면 내가 '한국 남자가 아닌' 사람을 선택하는 이유를 충분히 찾을 수 있었고, 나는 뭔가 좋은 몫을 선택한 것 같았다.

내가 다른 사람의 의견에 연연해 할 때 정작 놓치고 있었던 것은 내가 왜 '이 남자'와 결혼하는지 나 자신에게 물어보는 것이었다. 그 1년 전에 만난 지혜로운 노인의 이야기를 잊지 않았어야 했다.

1999년 6월에 아주 우연한 기회로 박일 선생을 인터뷰한 적이 있다. 그는 1946년 10월에 소련 공산당이 북한에 파견한 고려인 전문가 가운데 한 사람이다. 카자흐스탄국립대학 철학과 교수로 일하다가 김일성종합대학의 초대 부총장이 되었다. 그분은 그때 재외동포재단의 초청으로 한국에 왔는데, 공식 일정이 끝난 뒤 주말에 별다른 약속이 없었다. 서울대학교와 김일성종합대학이 만들어진 과정을 연구하고 있던 지도 교수와 나는 그분을 대학 게스트하우스에 모셔 왔다. 우리는 주말 내내 그분이 소련 공산당의 명령으로 북한에 갔지만 '조국'과 '민족'을 위해 일하고 싶어서 얼마나 위태로운 줄타기를 해야 했는지 들을 수 있었다.

그 줄타기는 오래가지 못해서 박일 선생은 2년 만에 해임되어 소련으로 돌려보내졌다. 그분은 소련과 조선 양쪽에서 다 불편한 존재였던 것 같다. 소련 처지에서는 그의 민족주의적 성향이 못마땅했고 조선 처지에서는 그가 온전히 조선 사람이 아닌 게 미덥지 않았다. 심지어 러시아인 아내와 헤어지고 조선인을 아내로 맞이하면 계속 일할 수 있게 해 주겠다는 권고도 들었다고 했다. 그분은 아내와 직위를 저울질하지 않았고 결국 마음속 조국을 떠나, 뿌리내리고 살았던 나라로 돌아갔다.

2년 만에 아내를 다시 만나는 순간을 그분은 이렇게 기억했다. 알마티 역에 기차가 도착한 것은 밤이었다. 역에서 아내가 기다리고 있었는데 어두워서 얼굴이 잘 보이지 않았다. 집에 가서 입을 맞추고 눈물을 흘리고 가만히 아무 말 않고 바라보다가 그제야 아내의 행색이 너무 초라한 게 눈에 들어왔다. 떠날 때 약속과 달리 소련 공산당은 가족을 돌봐 주지 않았고 평양에서 부친 돈도 전해지지 않았다. 그분은 이렇게 말했다.

"어리석은 일이지요. 자기 가족도 돌보지 못하고……."

그의 아내가 조선인이 아니어서, 그가 아내를 아직도 사랑한다는 것을 알게 되어서, 그가 삶의 지혜를 나누어 줄 만큼 충분히 고요한 노인이어서, 나는 그때 내 고민을 털어놓았다.

"제가 사귀는 사람이 있어요. 근데 그 사람은 영국 사람이에요."

가만히 듣고 있던 그분이 몸을 앞으로 숙이며 눈을 반짝였다. 나는 박일 선생에게 조선 여자와 다시 결혼하라고 말한 반세기 전의 그 사람들과 지금 내게 민족문제를 이야기하면서 이 사람과 사귀는 것이 "옳지 않다"고 이야기하는 사람들이 크게 다르지 않은 것 같다고, 근데 나는 내 주변의 이런 시선에 자꾸 구속된다고 이야기했다. 박일 선생은 그때 내게 이런 말을 해 주었다. 거의 20년이 지났지만 그분의 말은 단어 하나하나가 몸에 박혀서 지금도 생생하다. 아흔 가까이 된 노인이 서른을 겨우 넘은 내게 해 준 이야기는 이렇다.

"그 사람이 어디 출신인지는 아무 문제가 아니지요. 그 사람을 사랑하는지 마음에 물어보시오. 그 사람을 처음 만났을 때 느낌을 생각해 보시오. 처음 손을 잡았을 때 떨림을 기억해 보시오. 처음 입을 맞추었을 때의 설렘을 떠올려 보시오. 그러면 마음이 대답할 거요."

사람들이 나에게 왜 이 사람과 결혼하는지 물어봤을 때 나는 일본에서 처음 그를 만났을 때 그 설렘을 기억했어야 했다.

1996년 5월, 쓰쿠바대학(筑波大學) 어학원의 일본어 수업 시간이었다. 지각한 학생이 여는 문소리에 뒤돌아보았을 때 키가 크고 마른, 붉은빛 도는 갈색 머리의 젊은이가 일본 사람처럼 어깨를 구부리고 조심스럽게 들어왔다. 수업하던 다카하시 선생이 그를 알아보고 말을 걸었다.

"토니 상, 올해 또다시 만나게 되었네요."

나중에 알게 되었는데, 그는 지난해에 초급 일본어 강좌를 수강했으나 과정을 마치지 못했다. 그때 그가 일했던 일터에서 성추행 문제가 일어났고 그는 일본인 피해 여성을 돕는다고 여기저기 다니느라 수업 일수를 못 채웠다고 했다. 그는 그때나 지금이나 여성이 상처받는 일은 참을 수 없어 했고 그런 일이 생기면 만사를 제쳐 놓고 도와야 했다.

우리는 자연스럽게 위안부 문제에 관해 이야기를 나누게 되었다. 그는 1991년 8월 김학순 할머니가 처음으로 그 일을 증언했을 때 일본에서 그 소식을 듣고 느낀 충격에 관해 이야기해 주었다. 역사학 전공자답게 그는 일본의 제국주의 침략에 대해 잘 알고 있었다.

강제로 끌려간 위안부, 군국주의, 민족주의 이야기로 무겁게 시작한 관계는 차츰 일상에 대한 이야기로 바뀌었고, 나는 그가 내 뿌리 깊은 무거움을 가볍게 해 준다는 것을 알게 되었다. 아무것도 하지 않았는데, 아니 어쩌면 아무것도 하지 않아서 몸과 마음이 가벼워졌다. 그게 좋았던 것 같다. 언제 처음 손을 잡았는지, 언제 처음 입을 맞추었는지는 잘 기억나지 않는다. 쓰쿠바대학의 호수였는지, 엑스포 전시관 앞 연못이었는지, 긴 산책길이었는지, 자전거를 세워 놓은 다리 위였는지. 함께 시간을 보내고 나면 가벼워지는 발걸음과 '참을 수 없는 존재의 무거움'을 내려놓게 하는 묘한 편안함. 그게 시작이었다.

물은 넓어요
건널 수 있는 배를 주세요

내 무거움의 원천은 한국의 시공간 어딘가에 뿌리박혀 있는 것 같다. 일본에서 1년 남짓 지낸 뒤 한국으로 돌아왔고 내가 사는 곳의 중력은 나를 다시 바닥으로 끌어당겼다. 그가 2년 뒤에 내가 있는 곳으로 왔을 때 내 삶은 다시 충분히 무거워져 있었다. 나는 그와의 관계를 완전히 자유롭게 여기지 못했다. 다른 사람들 시선이 뭐라고 그걸 그리 어깨에 메고 다녔다. 그리고 다른 사람들이 내 선택에 동의해 주기를 원했다. 그래도 시간이 지나면서 결혼은 자연스러운 순서가 되어 있었고 함께 있는 시간을 좋아했던 우리는 마지막 순간에 망설임 없이 결혼식장에 섰다.

결혼식 날, 내가 퍽 행복해 보였나 보다. 결혼한 지 10년쯤 된 친구가 입이 귀에 걸려 있는 나에게 농담 반 진담 반으로 말했다.

"오늘까지만 좋은 거야. 한번 살아 봐."

10년 전 친구의 결혼식, 그땐 친구도 나처럼 좋아했다. 결혼식

•

때 예쁘지 않은 신부, 행복하지 않은 신부는 별로 없다.

결혼식 음악은 호텔의 아이리시 바에서 연주하는 사람들에게 부탁했다. 아일랜드 사람 두 명이 바이올린과 기타를 들고 왔다. 왜 나는 결혼식 축가로 '물은 넓어요(The water is wide)'를 불러 달라고 했을까. 그 사람들도 의아했을 거다. 이 노래를? 결혼식 날에? 나는 이 아일랜드 민요의 멜로디가 너무 좋아서 중간에 나오는 가사를 개의치 않았다.

Oh, love is gentle and love is kind

오! 사랑은 부드럽고 친절하죠.

Gay as a jewel when first it is new

처음에 새것일 때는 보석처럼 화려해요.

But love grows old and waxes cold

하지만 사랑은 늙고 차갑게 굳어져

And fades away like the morning dew

아침 이슬처럼 사라진답니다.

결혼식 날 '영원한 사랑'을 노래했다면 그 뒤의 시간이 달랐을까? 그와 함께 사는 동안 나는 문득문득 '이 축가가 주술이 되었구나' 하고 생각한 적이 있다. 결혼하고 몇 년 뒤부터 시작된 지리멸렬한 삶의 우울감과 끊임없이 밀려오는 실망과 분노, 그리고 이어지는 긴 침묵. 늘 나쁜 일만 있었던 것은 아닌데, 어떤 날은 좋았던 순간이 하나도 기억나지 않았다.

나는 생산성, 효율, 자기 규율, 책임감, 성실의 잣대로 그를 보면서, 한국 사회에서 나만큼 살아 내지 못하는 그가 답답하게 느껴지기 시작했다. 처음에는 한국에서 살아가는 방식이나 풍습, 제도나 행정 문제들을 신나서 설명해 주었는데, 나중에는 자꾸 물어보는 그를 왜 아직도 이걸 모르느냐는 눈으로 쳐다보게 되었다. 어느새 그가 내게 줬던 가벼움은 철없음으로, 긴장을 풀어 준 유머는 유치함으로, 쫓기지 않게 사는 여유는 게으름으로 생각되었다. 나를 도와주려고 하면 '내 일은 내가 알아서 잘하니까 네 일이나 잘하세요' 하는 비아냥거림이 마음속에서 올라왔다. 한국 남자가 얼마나 말없이 듬직한지, 얼마나 기계와 컴퓨터를 잘 다루는지, 얼마나 성실한지를 넌지시 이야기하고 뒷말을 생략한 채 입을 다물었다. 침묵 속에는 비난을 끈적하게 묻혀 두었다. 내 사랑은 늙고 밀랍처럼 차갑게 굳어 갔다.

우여곡절과 갖은 풍파를 겪으며 우린 한국에서 잠깐 살다가, 영국에서 또 잠깐 살다가, 한국에서 길게 살다가, 얼마 전에 다시 영국으로 왔다. 그사이에 우리는 둘 다 삶의 긴 터널을 지나 오십이 되었다. 그의 나라에서 다시 살게 되니 그가 내 나라에서 겪었을 어려움이 비로소 보였다. 그리고 내가 그를 대했던 방식으로 그가 나를 대한다면 나는 어떤 기분일까를 생각하게 되었다.

아주 오래전 국립정신건강센터에서 본 사이코드라마가 생각난다. 사이코드라마에서는 환자가 과거에 겪은 어떤 일을 연극으로 재현하다가 의사가 요구하면 상대방과 역할을 바꾸게 된다. 그래서 방금 자기가 한 이야기를 상대가 되어 다시 듣거나 상대가 한 이야기를 내가 다시 하게 되는데, 이때 환자는 순간 당혹감을 느끼곤 한다. 나와 상대방의 자리가 바뀌는 순간 번개가 치는 것 같은 각성이 일어날 때가 있다.

내 머릿속에서 펼쳐지는 사이코드라마 무대. 내가 그에게 했던 말을 내가 그대로 다시 듣는 상황. 그 순간 마음속 깊은 곳에서 올라오는 모멸감, 상상만 했는데도 소름이 돋는다. 내가 남편이라면 그동안 쌓아 놓았던 울분으로 총알을 빚어 비슷한 상황이 벌어졌을 때 나를 향해 쏠 것 같은데, 그리고 '이건 네가 나한테 했던 일을 되돌려 주는 일'이라고 할 법도 한데, 그는 그러지 않았다. 낯선 곳에서 이민자로 사는 것이 얼마나 힘든지 잘 알고 있기에, 내가 이곳에서 크게 어려움을 겪지 않기를 바랄 뿐이다.

우리는 지난 몇 년 동안 흘려보냈던 회색빛 시간이 우리 둘 다 자신을 잃어버렸던 시간이라는 것을 안다. 그는 너무 늦지 않게 자신을 찾은 것에 감사하고, 나는 새로운 삶의 자리에서 그동안 내가 보지 못했던 것을 볼 수 있게 되어 다행이라고 여긴다.

아직 해피 '엔딩'은 아니다. 끝날 때까지 끝난 게 아니다. 살면

•

서 계속해서 빛깔이 다른 새로운 일을 겪게 될 거다. 우린 다시 길을 잃기도 하고, 나는 삶의 불행을 온전히 그의 탓으로 돌리기도 할 거고, 왜 내가 이런 선택을 해서 지금 여기 있는지를 후회하기도 할 거고, 혼란으로 침묵하기도 할 거다. 조울증 환자처럼 행복에 기뻐 날뛰며 나라를 구한 전생의 나에게 감사하기도 하고, 내 삶의 행운이 사라질까 봐 불안해하기도 할 거다. 여느 결혼 생활이 다 그렇듯이 그렇게 '지지고 볶으며' 삶의 큰물을 건너갈 거다. 우리 결혼식 축가의 노랫말 후렴은 이렇게 반복된다.

The water is wide and I can't cross over
물은 넓고 나는 건널 수가 없어요.
Neither have I wings to fly
나는 날 수 있는 날개도 없어요.
Give me a boat that can carry two
우리를 태우고 갈 배를 내게 주세요.
And both shall row my love and I
그러면 둘이 노 저어 갈게요, 나의 사랑과 내가.

넓은 물을 직선거리로 한달음에 건너는 부부가 있을까? 살다 보면 같은 배에 타고 있는 게 죽기보다 싫은 순간도 오고, 노 젓는 게 무의미해 보이기도 하고, 혼자 애쓰느라 배가 뱅뱅 돌기도 하고, 노를 빠뜨리기도, 배를 뒤집기도 한다. 어떤 결혼도 누구의 삶도 '전형적'이지 않다. 전형적인 것을 굳이 찾으라면 누구나 늘 행복하지도 늘 불행하지도 않다는 것, 그 정도가 아닐까. 결혼, 대부분의 사람은 사랑으로 시작한다. 다른 누구도 아닌 그 남자와 그 여자이기 때문에 만났고, 시작했다. 그리곤 한배에 타고 변화무쌍한 큰물을 건넌다, 내리기 전까지는.

전국 다문화 가족
실태 조사

2012년 7월 어느 날, 조사원이 우리 집을 찾아왔다. 여성가족부와 통계청이 함께하는 '2012 전국 다문화 가족 실태 조사'였는데, 다문화 가족의 상황을 파악해서 지원 정책을 세우는 데 기초 자료로 쓰인다고 했다. 조사원은 남편과 나, 그리고 열 살 된 딸에게 조사지를 나누어 주고 응답해 달라고 했다.

질문지가 무엇을 의미하는지 알고 있었다. 그래서 정말 하기 싫었다. 그때 우리는 그다지 행복하지 않았다. 나는 남편과 별로 말하지 않았고, 같은 공간 안에 있는 게 불편했다. 그런 내 상태가 '다문화 가족의 어려움'을 증명해 주는 통계에 기여할 것이 분명했다. 그래서 정말이지 하고 싶지 않았다.

그런데 여러 번 전화하고 더운 여름 주말에 찾아온 조사원에게 안된 마음이 들어 남편에게는 영문 설문지를 주고, 나는 내 질문지를 받아 읽어 내려갔다. 아…… 이런 질문들. 국책 연구소에서 일할 때 나도 여러 번 만들었던 질문들이 거기 있었다. 그 질문이 어떤 맥락에서 어떤 사람들이 어떤 회의를 거쳐 만든 건지 단번에 알 수 있었다. 그동안 이런 질문을 만들어 내서 북한 출신 학생과 다문화 학생들에게 수없이 들이밀었던 내 자신이 생각났다. 이걸 받는 사람은 이런 기분이구나. 그래서 설문지를 받은 그 북한 출신 학생이 그걸 상담 교사 앞에서 박박 찢었구나.

설문지 맨 앞장에는 "동 조사는 다문화가족지원법 제4조(실태 조사)에 따라 대한민국에 거주하는 다문화 가족을 대상으로 실시하오니 조사 기간 중에 조사원이 귀댁을 방문하면 성실하게 응답하여 주시기 바랍니다"고 쓰여 있었다. '다문화가족지원법 제4조(실태 조사)'는 굵은 글씨로 강조되어 있었다. 나는 성실하게 응답해야 한다. 국가의 법이 그렇단다.

'결혼 이민자, 귀화자의 배우자용' 설문지. 나는 먼저 이런 질문에 답해야 했다. 현재 배우자와 함께 살고 있는지, 아니라면 그 이유는 무엇인지, 앞으로 자녀를 더 가질 계획이 있는지, 있다면 몇 명을 더 가질 건지, 배우자와 사별했다면 그가 몇 년에 죽었는지, 이혼했다면 결혼하고 몇 년 만에 이혼했는지, 이혼한 까닭은 무엇인지, 양육비는 받는지. 그리고는 내가 배우자를 어떻게 만났는지에 대해서도 물었다. 중개업자를 통해서인지, 소개를 받았는지, 스스로 만났는지. 외국인 배우자와 언제부터 함께 살기 시작했는지(이 질문 옆에는 결혼식, 혼인신고와 상관없이 배우자와 실제로 함께 살기 시작한 연도를 써 달라고 적혀 있었다), 이 결혼이 초혼인지 재혼인지, 재혼이면 전 배우자하고는 자녀를 몇 명 낳았는지. '결혼 이민자, 귀화자용' 설문지도 같은 것을 묻고 있어서 남편도 이 질문들에 답하고 있었다. 후텁지근한 토요일 오후에 우리는 국가를 위해 지극히 사적인 정보를 조사원 앞에서 표시하고 있었다.

국가는 계속해서 이런 것을 물었다.

"귀하는 지금까지 배우자와 살면서 문화적 차이를 느낀 적이 있습니까? 있다면 가장 크게 느낀 문화적 차이는 무엇입니까, 아래 보기에서 찾아 순서대로 세 가지를 선택하여 써 주십시오."

'순서대로 세 가지'에는 밑줄이 그어져 있었다. 보기에는 ①식습관 ②의복 같은 옷 입는 습관 ③자녀 양육 방식 ④가사 분담 방식 ⑤부모 부양 방식 ⑥가족 행사 등 가족 의례 ⑦종교 생활에 대한 이해 ⑧기타 (   )가 나열되어 있었다. 내가 뭐라 적었는지는 기억이 안 난다. 그런데 이런 문화적 차이를 느끼지 않는 부부도 있을까? 왜 국가는 고기를 좋아하는 남편과 채소를 좋아하는 내 식습관의 차이가 궁금할까?

또 이런 질문.

"귀하는 배우자와 다툰 적이 있습니까? 있다면 그 이유는 무엇입니까, 해당되는 것을 모두 선택하여 주십시오."

이번에는 '모두'에 밑줄이 그어져 있었다. ①성격 차이 ②문화, 종교, 가치관 차이 ③언어 소통상의 어려움 ④자녀의 교육 또는 행동 문제 ⑤생활비 등 경제 문제 ⑥음주 문제 ⑦배우자 가족과의 갈등(가족 초청, 물질적 지원 등) ⑧본인 가족과의 갈등 ⑨외도 문제 ⑩폭언, 욕설, 신체적인 폭력 문제 ⑪심한 의심, 외출 제한(여권 숨김 등) 문제 ⑫기타 (   ).

질문은 "다툰 적이 있습니까?"이다. 한 번이라도 이런 문제로 다툰 적이 있는지를 묻는다면 나는 적어도 절반 이상에 표시해야 한다. 그렇지 않은 부부가 있을까? 국가는 대체 무엇이 알고 싶을까?

이런 질문이 7쪽이나 되었다. '결혼 이민자, 귀화자용' 설문지는 배우자의 것보다 더 길어서 토니는 11쪽이나 되는 시험 문제를 풀고 있었다. 예를 들면 이런 문항은 그의 질문지에만 있었다.

"당신이 한국에서 생활하면서 가장 어려운 점은 무엇입니까? 보기에서 찾아 순서대로 세 가지를 선택하여 써 주십시오."

보기. ①외로움 ②가족 간의 갈등 ③자녀 양육 및 교육 ④은행, 법원 등 기관 이용 ⑤경제적 어려움 ⑥언어 문제 ⑦생활 방식, 관습 등 문화 차이 ⑧음식 ⑨편견과 차별 ⑩기후 차이 ⑪기타(   ) ⑫힘든 점 없음.

그 시절 나는 침묵으로 일관하고 있었기 때문에 그는 나하고 소통하는 데 어려움을 겪고 있었다. 그때 그는 ②번이라고 했을까 ①번이라고 했을까. 그런데 세상에 외롭지 않은 사람이 있을까? 이걸 국가가 파악하면 우리를 위해 어떤 '정책'을 세우게 될까? 그는 한국의 겨울을 몹시 추워했는데, ⑩기후 차이라고 답한다고 해서 뭐가 달라지는 걸까?

나는 다음 질문에서 한참을 망설였다. 그도 그랬을 거다.

"배우자에 대해 얼마나 만족하십니까?"

①매우 만족부터 ⑤매우 불만족까지 사이에 표시하게 되어 있었다. 그때 내가 국가의 질문에 '성실하게 응답'했다면, ⑤나 적어도 ④를 표시했어야 했다. 하지만 나는 그것이 그가 외국인 배우자이기 때문에 생긴 문제가 아니라는 것을 안다. 나는 내 답변으로 다문화 가족이 더 불행해 보이게 하고 싶지 않았다. 그래서 ③에 표시했다. 그때 그는 어디에 표시했을까?

그의 설문지도 내 설문지도 마지막은 이 질문으로 끝났다. "생활을 전반적으로 고려할 때, 귀하께서는 현재의 삶에 얼마나 만족합니까?"

①매우 만족에서 ⑤매우 불만족까지 그 사이에 표시해야 했다. 나는 똑같은 이유로 ③에 표시했다. 이것 역시 그가 어디에 표시했을지 궁금해졌다.

나는 이 설문지를 하는 내내 마음이 불편했다. '대상화'된다는 게 이런 거구나. 한국 사회에서 늘 양지에, 주류로 살았던 나는 연구하는 사람이었지, 연구 '대상'이 되는 사람이 아니었다. 말하는 사람이었고, 가르치는 사람이었고, 설명하는 사람이었다. 그래서 그런 사람들의 생태를 안다. 그들의 생태 안에서, 그들의 논리에 따라서, 그들이 보고 싶은 것을 먼저 결정하고 만든 설문지. 그 설문지가 지지고 볶으며 사는 삶의 깊이와 역동을 얼마나 잘 보여 줄 수 있을까.

내 이야기가 아니라 그들이 믿고 보고 싶어 하는 내 이야기를 그들이 만든 질문과 보기 안에서 고르고, 내 마음을 다섯 단계로 나누어 놓은 범위 안에서 표시해야 하는 불편함. 그것을 꾹꾹 누르고 답을 하다가 폭발한 것은 맨 마지막에 있는 글을 본 순간이었다.

"응답하신 분의 성명과 연락 번호를 기입하여 주십시오."

그들은 내 이름과 휴대폰 번호, 집 전화번호를 요구했다. "이걸 왜 적어야 하나요?" 화를 내며 물었다. 아……, 사실 그건 나도 했던 일이다. 북한 출신 청소년을 5년 동안 추적 연구할 때 학생과 학부모의 전화번호를 적도록 했다. 그래야 해마다 그들을 다시 찾아내 똑같은 질문지로 다시 조사할 수 있었다. 조사원은 미안하다며, 개인 정보는 보장된다며, 그러니 적어 달라며, 이것까지 다 해 주면 상품권을 준다고 했다. 나와 토니는 이름과 전화번호를 각각의 설문지 마지막에 적었다. 그리고 온누리 상품권을 받았다.

나중에 이 조사 결과 보고서를 찾아서 읽어 봤다. 전국에는 다문화 가족이 26만 6천 가구쯤 있다고 한다. 그중에 1만 5천여 가구를 표본으로 해 조사를 했단다. 우리는 5.7%의 표집에 뽑힌 거였다. 이 실태 조사는 3년에 한 번씩 하는데 2009년에는 다문화 가족 모두를 조사했단다(이상하게도 그때는 우리 집에 조사원이 오지 않았다). 그런데 비용이 너무 많이 들고 응답률도 낮아서 2012년부터 표본 방문 조사로 바꾼 거란다.

내가 가장 고민했던 질문, 배우자와의 관계에 만족하느냐는 질문에 결혼 이민자와 귀화자는 72.9%가 만족한다고 했고(매우 만족 47.6%, 만족 25.3%), 그들의 배우자는 75.5%가 만족한다고 했다(매우 만족 50.0%, 만족 25.8%). 높다……. 설마 이들도 나와 같은 생각을 했을까? 불행해 보이기 싫어서 만족한다고 했을까? 그럼 그냥 '보통'이라고 쓰지 않았을까? 만족의 기대 수준이 낮은 걸까? 그런데 어쨌든 만족감이라는 것은 주관적이어서, 이들의 기대 수준이 낮다고 설명하는 것은 별 의미가 없다. 만족한다지 않는가……. 3년마다 하는 조사라고 하니 2015년에도 조사했을 터이다. 2015년 조사 결과도 찾아봤다.

정부의 정책브리핑 웹사이트(www.korea.kr)에 '2015년 전국 다문화 가족 실태 조사 결과 발표'가 올라와 있었다. 여성가족부 장관이 2016년 4월 27일에 결과를 발표했단다. 이런 발표가 늘 그렇듯이 정부가 애를 많이 써서 과거와 비교해서 주목할 만한 성과를 이루었고, 그러니 앞으로도 꾸준하게 지원하는 것이 필요하다고 강조하고 있었다.

내가 궁금한 질문, 배우자와의 관계 만족도. 2015년에도 결혼 이민자와 귀화자의 66.6%는 배우자하고의 관계에 만족해했다(매우 만족 37.6%, 만족 28.7%). 그런데 이 자료에는 흥미로운 사실도 함께 적혀 있었다. 여성가족부는 '2015년 가족 실태 조사'에서 전체 국민에게도 같은 질문을 했었나 보다. 전체 국민 가운데 배우자와의 관계에 만족하는 비율은 51.2%였다(매우 만족 7.7%, 만족 43.5%). 두 조사 결과를 비교한 뒤 "다문화 가족은 배우자와의 관계에 대해 '만족한다'는 비율이 66.6%로 전체 국민에 비해서 높은 편이었다"고 설명을 덧붙여 놓았다. 이 자료만 보면, 국제결혼을 한 부부들은 그렇지 않은 부부들보다 더 상대방에게 만족하면서 살고 있었다. 아, 그럼 뭐가 문제이기에 이들을 3년마다 찾아내어 이런 조사를 할까?

이제 '국제결혼'도 그냥 '결혼'으로, '다문화 가족'도 그냥 '가족'으로 봐주면 안 될까? 국가가 가정의 행복을 그렇게 중요하게 여긴다면, 다문화 가족뿐만 아니라, 오히려 도움이 필요한 많은 일반 가정의 불행과 어려움에 더 적극적으로 개입해야 하는 거 아닌가? 결혼 생활의 사적인 영역은 존중해 주고, 공적인 도움이 꼭 필요한 경우는 그가 누구와 결혼했는지 상관없이 어려움을 겪고 있는 사람을 도와줘야 하는 것 아닌가?

하지만 가까운 시간 안에 그렇게 되지 않으리라는 것을 안다. 2018년이 되면, 표본이 된 다문화 가족에게 다시 조사원이 찾아갈 거고, 부부와 아홉 살이 넘은 아이들은 모두 앉아서 설문지에 답을 해야 할 거다. 설문 마지막에는 이름과 전화번호를 적을 것이고, 그 수고의 대가로 상품권을 받을 거다. 그리고 여성가족부는 2015년과 비교해서 그들의 삶이 얼마나 나아졌는지를 발표할 거다. 그렇게 될 거다. 법에 따라서. 조사 결과에 상관없이 사람들은 여전히 이들의 삶이 더 어렵고, 이들이 자신들보다 더 불행할 거라고 믿을 거다.

국제결혼,
혹은 결혼

결혼 전에 몇 년 동안 서울의 한 구청 문화센터에서 영어를 가르친 적이 있다. 그때 나는 20대 후반이었고, 수강생들은 50, 60대 중년을 넘기고 있는 '여사님'들이 많았다. 나는 이 시간을 좋아해서 교재 말고도 짧은 영어책을 읽거나 뮤지컬 가사를 같이 보기도 하고, 팝송을 같이 부르기도 했다. 서른 명 남짓한 수강생들이 나중에는 마음 통하는 동네 어른들처럼 여겨졌다. 토니가 한국에 온 뒤에는 가끔 그와 함께 가기도 했다. 이분들은 우리를 늘 환영해 주었고 이야기를 많이 나누고 싶어 했다. 나중에 결혼 소식을 알려 드리니 박수를 치며 반가워하면서도 다시 이 질문을 했다.

"그런데 문화적 차이가 커서 힘들지 않을까요?"

"여러분은 남편과 문화적 차이를 느끼지 않으세요?"

토니가 다시 묻자, 남편과 족히 30년은 같이 살아온 이분들이 크게 웃

●

으며 고개를 끄덕였다.

우리는 이런 질문을 받을 때마다 뭔가 우리의 선택을 '변호'하려고 했던 것 같다. 지금이라면 "그러게요, 문화적 차이가 크겠죠? 그래도 한번 살아 보려고요." 뭐 이쯤 대답할 것 같다. 그런데 그때는 뭔가 이 질문에 성실하게 대답해야 할 것 같았다.

토니는 어차피 결혼은 문화가 다른 사람이 만나서 사는 일인 것 같다고 했다. 영국과 한국의 문화 차이가, 서로 다른 가정에서 성장한 남자와 여자의 차이, 혹은 개인의 성격 차이보다 더 큰지는 모르겠다고 했다. 결혼은 성장 과정이 다른 사람이 만나 서로 생각이 다를 수 있다는 것을 인정하고 이해하면서 사는 것이 아니겠냐고도 했다.

나는 그때 내가 아는 선배 얘기를 예로 들었던 것 같다. 그 선배는 남편이 문지방에 서 있는 것을 참을 수 없어 했다. 요즘은 아파트 공간을 넓게 쓰려고 방의 문턱을 없애는 경우가 많은데 그때만 해도 문턱이 있었다. 선배는 다른 것은 다 참겠는데, 남편이 어쩌다가 문지방에 서 있으면 그건 견디기 어렵다고 했다. 그건 선배가 어릴 적 받은 가정교육에서 보자면 천하에 근본 없는 행동이라서 그걸 지적하게 되고, 그러면 꼭 싸움으로 발전한다고 했다. 나는 한국 사람끼리 살아도 이런 일들이 많이 벌어지지 않느냐고 되물었다.

•

36

그리고 이런 말도 덧붙였다. 부부 싸움은 보통 상대방이 나하고 생각이 같을 거라고 가정하기 때문에 생기는 것 같다고, 내가 말하지 않아도 내 마음을 알 거라고, 그래서 상대가 내 마음을 몰라주거나 내 생각을 알아차리지 못했을 때 섭섭하게 되는 것 같다고. 그런데 아예 '우리는 다르다. 상대는 내가 자란 문화에서 자연스럽게 여기는 모든 것이 익숙하지 않을 수 있다'는 것을 전제로 하면, 내 감정이나 생각은 말하지 않아도 상대가 '어련히 알아서' 가늠할 수 있는 게 아니라 내가 '적극적으로 설명해야' 하는 거라고 여기고 행동하게 될 거라고. 그래서 우리처럼 아예 문화가 다른 것을 받아들이면 오히려 잘 설명해 주고 소통하게 될 거고 그러면 싸울 일이 적지 않겠냐고 했다.

나는 이 말이 지금도 옳다고 생각한다. 아직 살아 보지도 않고 젊은 나이에 이걸 알았다는 것이 대견하기도 하다. 하지만 아직 살아 보지 않았기 때문에 쉽게 말할 수 있었던 것 같다. 이 말의 무게를 그때는 몰랐다. 어쩌면 그때는 서로 다른 걸 이해해서 잘 설명하고 소통하다 보면 우리가 비슷해지지 않을까 하고 은근히 기대했는지 모른다. 이렇게 오랫동안 우리가 '다른' 사람이라는 것을 확인하며 살아야 한다는 것을 알고나 한 이야기였을까. 어렴풋이 그걸 알았더라도 이것이 참으로 많은 성찰과 자기 수양이 필요한 일이라는 것까지 알았을까.

'이걸 굳이 얘기해 줘야 아니?'라는 실망이 불쑥불쑥 일어나고

"됐어, 이건 그냥 내가 알아서 할게, 그게 빨라" 하며 집안일을 말 없이 처리해 버리면서 무표정한 가면 뒤에 숨은 오만 가지 감정을 독심술로 읽어 주길 바랐던 그 무수한 날들 동안, 나는 내가 호기 롭게 이야기한 '소통'의 중요성 따위는 다 잊어버렸다. 한동안은 올바른 대화법 따위를 가르치는 이론이나 방법도 싫어졌다. 나도 못하겠는데 '비폭력 대화 방법'을 가르쳐야 하는 대학원 수업을 하고 돌아오는 길은 늘 우울했다. 그 방법을 모르는 게 아니라 그 렇게 하기 싫어서 안 하고 있는 건데, 마치 우리가 방법을 몰라서 못하고 있는 것처럼 가르치는 로젠버그의 글(마셜 B. 로젠버그 지음, 캐서린 한 옮김,《비폭력 대화》, 한국NVC센터 2011)에 짜증이 나기도 했다.

그 시간이 어떻게 지났는지 잘 모르겠다. 지금은 그저 내 마음 의 평안을 위해 그를 가능한 있는 그대로 인정하려고 한다. 그와 내가 다른 점이 우리 가족의 평화로운 삶에 크게 영향을 미치지 않는 한, 크게 마음에 두지 않는다. 그래서 이제는 다 먹은 그릇에 밥풀이 붙어 있어도, 빨래를 옷장 속에 박아 두어도, 주말까지 끝 내겠다는 창고 정리를 6개월째 내버려 두고 있어도 뭐라 하지 않 는다.

그 대신 나는 그가 가끔 가족의 저녁을 위해 요리를 하고, 애들 이 좋아하는 동영상을 보며 애들보다 더 크게 웃으며 즐거워하 고, 잘 모르지만 뭔가 훌륭한 일을 하고 있는 것 같은 나를 격려해 주는 것을 고맙게 여기게 되었다. 관계가 좀 편안해진 것은 우리의 다른 점이 없어져서가 아니라, 내가 예전처럼 바쁘게 살지 않기 때문이고, 나와 상대의 허물에 좀 더 관대해졌기 때문이며, 나이가 들면서 중요한 것과 그렇지 않은 것을 분별하는 눈이 조금 생긴 덕분이리라.

모든 부부는 살면서 크고 작은 문화적 차이를 경험한다고 본다. 어떤 날은 싸우고, 어떤 날은 적당히 눈감으며 조금씩 맞춰 가며 사는 것 같다. 나는 시간이 지나면서 겨우 몇 가지 원칙을 찾았다. 가족의 삶에 중요한 영향을 미치는 문제가 아니라면 작은 차이는 그냥 받아들인다, 중요하지 않은 문제일지라도 내가 마음이 불편하면 불편하다고 솔직하게 이야기한다, 그 정도이다.

그건 20년 전 내가 아무것도 모를 때 했던 이야기와 크게 다르지 않다. 우리는 다른 사람이다. 상대는 내 생각과 같지 않을 수 있다. 어떤 문제가 나한테 중요한 것이라면 내 편에서 적극적으로 이야기해 주는 게 차라리 낫다. 사실 그렇게 하는 것 말고는 별로 다른 방법도 없는 것 같다. 내가 다른 이와 한집에서 그런대로 불편하지 않게 살려면 말이다. 내가 겪고 있는 이 도전적 과제, 이건 내가 '국제결혼'을 해서가 아니라, '결혼'을 해서 그런 거다.

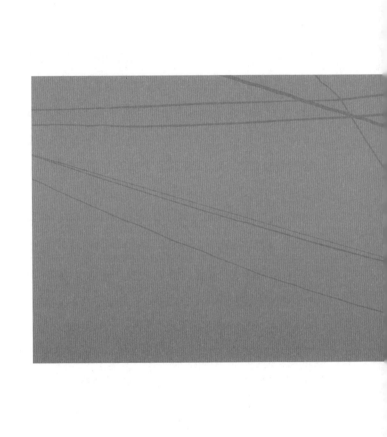

다 자기
이름이 있다

이름 짓기

2002년 월드컵 4강 신화를 만든 그해 여름, 큰아이가 태어났다. 7월 출산을 앞두고, 포르투갈, 이탈리아, 스페인전을 보면서 이렇게 흥분하다가 조산할까 봐 걱정하기도 했다. 축구 규칙을 모르는 토니에게 모르기는 마찬가지인 내가 오프사이드를 가르쳐 가면서 대학가에서 뜨거운 여름을 보냈다. 그 사이에 아이는 자기가 세상에 나올 시간을 기다리고 있었다.

큰아이는 서울 보라매병원에서 낳았다. 모든 어머니가 다 경험하듯이 산고는 지금까지 경험한 어떤 아픔하고도 비교할 수가 없었다. 나는 고통스러운 순간보다도 다음 고통이 오기 전까지 짧게 쉬는 시간이 더 힘들었다. 진통이 오는 순간에는 아무 생각을 할 수 없었는데, 잠깐이지만 숨 돌릴 수 있는 순간에는 곧이어 닥칠 또 다른 파도가 두려웠다. 만 하루가 지나고 다음 날 새벽, 얼굴선이 곱고 눈이 선한 여자아이가 태어났다.

●

모든 부모가 그렇듯이 아이 이름을 지을 때는 생각도 고민도 많아진다. 나는 우리 딸 이름이 한국에서도, 영국에서도 낯설지 않았으면 했다. 그래서 외할머니나 친할머니가 손녀 이름을 부를 때, 마음이 어떤 돌부리에도 걸리지 않기를 바랐다. 아이의 이름이 제니퍼나 리즈가 되면 우리 어머니 마음이 불편할 것 같고, 민정이나 서빈이가 되면 시어머니가 부를 때마다 머뭇거릴 것 같았다. 이름에서 이방인임을 드러내고 싶지 않았다.

그렇다고 영어 이름과 한국 이름을 따로 짓고 싶지도 않았다. 이 아이는 크면서 정체성 문제로 고민을 할 순간이 올 텐데, 이름이 두 개가 되면 왠지 통합되지 않는 두 개의 상징을 갖게 될 것 같았다. 그리고 아이 이름에는 아이가 유산으로 받은 두 문명의 흔적이 담겨 있었으면 했다. 그래서 동양권에서도 서양권에서도 의미가 있는 이름이었으면 했다.

내 동생이, 그러니까 아이의 외삼촌이 '애린, Erin'이라는 이름을 말했을 때, 그동안 찾아 헤매던 이름을 발견한 느낌이었다. 애린(愛麟), 사랑스런 기린. 기린은 다 알 듯이 동양의 신수(神獸)이다. 성품이 온화하고 어질고 뛰어난 재주를 가진 상서로운 기린아(麒麟兒) 애린이. 우리 큰딸의 이름이다. 또한 에린 Erin은 대표적인 아이리시 이름이다. 아일랜드(Ireland)를 시적으로 표현할 때 '에린'이라고도 한다. 시어머니는 아일랜드 분이다. 우리는 애린이가 이 이름을 가짐으로써 할머니의 고향을 기억하기를 바랐다.

그래서 큰아이는 한국인 이애린, 영국인 Erin Lee Banks가 되었다.

둘째 아이는 2004년 겨울, 런던에서 태어났다. 영국의 겨울은 어둡다. 북위 51.5도에 있는 런던은 서울보다 훨씬 겨울 해가 짧다. 오후 2시면 벌써 해가 기울기 시작하고 비가 오는 날도 많아 음산하기까지 하다. 그 겨울 내 곁에는 친정 식구도 친구도 붉은 악마도 없었다. 세상에 나 혼자 있는 것 같은 느낌에 빠져 있을 때가 많았다.

출산 예정일을 열흘이나 넘기자 의사는 유도 분만을 하자며 2월 6일 아침에 병원으로 오라고 했다. 전날 밤에 혼자 미역국을 끓였다. 아무래도 아이를 낳고 나서 미역국은 먹어야 할 것 같았다. 아침에 미역국에 밥을 말아서 밀폐 용기에 싸 들고 병원에 갔다.

영국은 의료 서비스가 무료이다. 국가건강서비스(National Health Service, NHS)라고 하는데, 출산 비용도 당연히 무료이다. 내가 간 퀸샬롯병원(Queen Charlotte's Hospital)에는 따로 분만실이 없었다. 한국의 차가운 분만실에 있는 기이한 분만 의자도, 아래를 비추는 조명도, 외과 시술을 하는 의료기도 없었다. 1인 병실에는 큰 침대와 텔레비전, 탁자, 의자 같은 게 있고 화장실과 샤워실이 달려 있어서 마치 호텔 같았다. 나와 함께 있었던 의료진은 의사나 간호사가 아니라 조산사였다.

아이 낳는 일은 아무래도 익숙해질 수 없는 어려운 일인가 보다. 두 번째여도 여전히 두려웠고 남편도 나도 정신이 없었다. 마지막 순간에 조산사가 힘을 빼라고 소리를 질렀는데, 토니는 힘을 주라고 응원했고 나는 온 힘을 다 쏟아서 아이를 밀어냈다. 침대 끝으로 로켓처럼 빠져나온 아이는 탯줄을 목에 감고 있었다. 천만다행하게도 조산사가 아이를 잘 받아 주었다. 조산사는 갓 태어난 아이를 부드러운 수건에 감싸 바로 내 가슴 위에 올려 주며 "스킨 투 스킨(Skin to skin)"이라고 말했다. 맑은 얼굴에 총명한 눈을 가진 여자아이를 품에 안았다.

그 병원에서는 오전에 출산하면 그날, 오후에 출산하면 다음 날 아침에 퇴원해야 했다. 병상이 부족해서 그렇다. 아이를 낳은 그날 병원을 나가라는 게 산모에게는 가혹하다고 생각했다. 다행히 우리 아이는 저녁에 태어났고 나는 덕분에 다음 날 아침까지 있을 수 있었다. 병실에 붙어 있는 샤워실에서 씻은 뒤에 아이와 다인실로 옮겨 하룻밤을 보냈다. 식구는 같이 있을 수 없어서 남편은 집으로 갔다.

나와 아이만 남았다. 커튼이 쳐진 옆 침대에도 그날 오후에 아이를 낳은 산모가 아이와 함께 누워 있었다. 서로 말하지 않았지만 그녀가 누군가와 통화하는 것을 듣고 그도 외국인이라는 것을 알았다. 그녀도 자기 말을 쓰지 않는 곳에서 한 아이의 엄마가 되었다. 죽을힘을 다해 긴 산도를 빠져나오느라 고단했던 내 아이는 쌕쌕 잠이 들었고, 나는 밀폐 용기를 열어 밥을 만 미역국을 먹었다. 차가웠다. 괜히 눈물이 났다. 그땐 늘 눈물이 났다.

둘째 딸 이름은 내가 지었다. 애린이 이름을 지을 때처럼 기준을 정하고 몇 가지 후보를 뽑아 놓고는 며칠을 고민했다. 마지막으로 정한 이름은 린아(麟雅)이다. 나는 아무래도 기린을 너무 좋아했던 것 같다. 단아한 이름이라고 생각했다. 영어 이름은 Lina인데, '아델리나, Adelina'의 애칭이다. 아델리나의 뜻은 '고귀함'이라고 했다. 이렇게 해서 우아하고 고귀한 또 한 명의 기린아가 우리 식구가 되었다. 큰아이의 출생을 한국에 있는 영국 대사관에도 신고한 것처럼 둘째 아이는 영국에 있는 한국 대사관에도 신고했다. 그래서 작은아이는 한국인 이린아, 영국인 Adelina Lee Banks가 되었다.

2004년 10월 나는 27개월 된 애린이와 8개월 된 린아를 데리고 영국을 떠났다. 나는 그 사회에 정착하지 못했다. 두 아이를 데리고 떠나는 며느리를 보고 시어머니는 눈물을 흘리셨다. 한국에 돌아온 뒤 토니와 나는 런던에서 산 그 두 해에 대해서 한동안 이야기하지 않았다.

나는 어느 나라
사람이야?

아이들이 태어나면서부터 나는 언젠가 이런 질문에 대답해 주어야 할 날을 기다리고 있었다. 아이들이 어느 날 자기가 어느 나라 사람이냐고 물어보면 나는 이렇게 대답해 주려고 했다.

먼저 이렇게 말할 거다.

"너는 유라시안이야."

이런 뜬금없는 대답을 하는 것은, 우리 아이가 어느 한 '국가'에 소속되어 있는 것이 아니라 더 큰 공동체에, 더 큰 문명에 속해 있다고 생각하길 바라기 때문이다. 영어에서 유라시안(Eurasian)은 아시아인과 유럽인의 혼혈을 가리키는 말이기도 하지만, 내게 유라시안이라는 말은 동양과 서양을 다 아우르는 가장 오래된 문명이자 지구에서 가장 넓은 대륙에 속한 사람을 의미하는 것이기도 하다. 영국이 유럽이냐는 질문이 있을 수 있으나 게르만족의 후예라고 생각하면 유럽인이라고 하지 않을 이유가 없다. 어쨌든 나는 A냐 B냐를 물어볼 때 이 둘을 다 아우르는 더 큰 C가 있다는 것을 알려 줘서 양자택일의 고심에서 벗어나게 해 주고 싶었다.

하지만 이렇게 말한 뒤에 내가 진짜 하고 싶은 말은 이렇다.

'너는 너야. 너는 애린이야, 너는 린아야. 그리고 엄마는 너를 정말 사랑해.'

나는 우리 아이들이 한국 사람이냐 영국 사람이냐를 선택하는 것보다 자신을 온전히 독립적인 개인으로 인식하고 충분히 사랑받는 존재라는 것을 아는 게 훨씬 더 중요하다고 생각했다.

그 '어느 날'이 어느 날 찾아왔다. 왜 갑자기 애린이가 그걸 물어봤는지는 잘 기억이 안 난다. 뭔가 맥락이 있을 터였다. 애린이가 3학년, 린아는 1학년이 되었을 때다. 아이들은 동네 초등학교에 다니고 있었다.

애린이가 아침을 먹는 식탁에서 물어봤다.

"엄마, 나는 한국 사람이야, 영국 사람이야?"

드디어 내가 10년 동안 해 주고 싶었던 이야기를 할 순간이 왔다. 갑자기 닥친 이 순간을 되도록이면 멋지게 이끌어 가고 싶었다. 살짝 웃음을 띠고 최대한 부드러운 눈빛을 하고 이야기를 시작했다.

"애린아, 너는……."

그 순간, 내가 10년 동안 기다렸던 바로 그 순간에 린아가 오른손을 번쩍 들었다. 린아는 학교에 들어간 뒤부터 손을 들고 이야기하는 버릇이 생겼다.

"엄마, 나 알아!"

"뭔데?"

"나, 다문화!"

이런 상황이 벌어지리라고는 짐작도 못 했다. 린아에게 물어
봤다.

"다문화가 뭔데?"

"한국 사람도 아니고 외국 사람도 아닌 거."

린아가 해맑게 답해 줬다.

"그렇구나……."

우리 아이는 내가 가르쳐 주기 전에 학교에서 먼저 배웠다. 자
기가 누구인지에 대해.

한국에서 우리 가족을 일컫는 법적인 용어는 다문화 가족이다.
다문화가족지원법 제2조 1항에서는 다문화 가족을 결혼 이민자
와 한국 국적자로 이루어진 가족, 혹은 귀화자와 한국 국적자로
이루어진 가족이라고 정의한다. 토니는 재한 외국인 처우 기본법
제2조 3의 결혼 이민자이고 나는 국적법 제2조부터 제4조까지의
규정에 따라 대한민국 국적을 얻은 사람이니까 우리 둘이 만드는
가족은 다문화 가족이 맞다. 우리 아이들은 24세가 되기 전까지
는 다문화 아동·청소년이다. 법으로 규정한 용어가 그렇다. 다문

화 가족이 되자 국가는 우리를 '지원'하기 시작했다.

아이들은 학교에서 다문화 학생으로서 특별한 관심과 혜택을 받았다. 우선 방과 후 수업을 무료로 들을 수 있었다. 그런데 애린이와 린아는 학교가 끝나면 바로 집에 오고 싶어 했다. 그래서 방과 후 수업을 신청하지 않았다. 담임선생님한테서 전화가 왔다. 웬만하면 신청하는 게 좋겠다고 했다. 나는 잠깐 생각했다. 우리 아이들에게 써야 할 예산이 교육청에서 나왔는데 우리가 신청을 안 하면 행정적으로 번거로워지는 것은 아닌지, 방과 후 수업 바우처를 받는 학생 수도 다문화 가정을 지원하는 '성과' 가운데 하나일 텐데, 우리가 신청을 안 하면 혹시 학교에 누가 되는 건 아닌지 마음이 쓰였다. 그래서 선생님께 아이들과 다시 상의해 보겠다고 했다. 아이들은 다음 날 방과 후 컴퓨터 교실 참가 신청서를 들고 학교에 갔다.

그때 나는 이런 지원을 방과 후 수업을 하고 싶어 하는 아이들 가운데 경제적 도움이 필요한 학생이 받으면 좋겠다고 생각했다. 그렇지만 우리가 안 받겠다고 하면, 필요 없다고 하면, 정말 도움이 필요한 다른 다문화 학생도 지원을 안 해 줄 것 같아서 그 이야기를 사람들 앞에서 하지는 않았다.

우리가 다문화 가족이라서 받은 지원은 그것 말고도 더 있었다. 애린이가 초등학교 들어갈 때쯤 다문화 가족은 한글 학습지를 받아 볼 수 있는 비용을 보조해 준다는 안내 편지를 받았다. 발송한

곳이 교육청이었는지, 건강가족지원센터였는지, 시청이었는지는 잘 기억이 안 난다. 우리 아이는 만 세 돌 전부터 한국에서 살았고, 어린이집과 유치원에서 하루 종일 보내면서 다른 한국 아이들과 마찬가지로 학교에 가기 전에 이미 알림장 쓰는 것을 다 배웠다. 그래서 이 지원은 필요하지 않았다. 그래도 한글을 잘 모르는 다문화 아동에게는 이런 기회가 도움이 될 수도 있겠다고 생각했다.

그즈음에 남편은 보건소에서 우편으로 보낸 한 달 치 비타민을 받았다. 갑자기 알약이 가득 든 소포가 와서 의아했다. 편지에는 결혼 이민자에게 주는 것이라고 적혀 있었다. 물어보지도 않고 건네는 이런 혜택에 감사한 마음이 먼저 들어야 하는데 우리는 미안하게도 그렇지 않았다. 사 놓은 비타민도 안 챙겨 먹는 남편에게 주느니, 정말 필요한 다른 사람에게 주면 좋을 것 같았다. 하지만 그때도 그 얘기를 크게 할 수는 없었다. 그러다가 정말 비타민이 필요한 결혼 이민자 몫까지 없어질까 봐 그랬다. 머릿속에는 농촌에 시집가서 병원도 멀고 식사도 부실한데 자기 몸을 위해 영양제를 사는 것은 생각지도 못할 것 같은 가난한 외국인 아내가 떠올랐다. 아마 이 약을 보낸 보건소에서도 그렇게 생각했을 거다. 우리 같은 다문화 가족이 있다는 것이 알려지면 그들에게 갈 혜택이 줄어들 것 같았다.

다문화와
글로벌

'우리 같은 다문화 가족' 나는 이 표현을 쓰면서 내 마음속으로 '우리 같은' 다문화 가족과 다른 전형적인 '그들' 다문화 가족을 구분 짓고 있다. 그런데 그 구분이 내 마음속에만 있는 건 아닌 것 같다.

어느 날 다문화 교육에 대한 회의를 하고 시교육청 담당 장학사와 점심 식사를 한 적이 있다. 점심을 먹으면서 '우리 아이들도 교육부 통계에 잡히는 다문화 학생'이라고 말했다. 흥미로워하는 그에게 우리 집 이야기를 좀 더 했더니 웃으며, '이 다문화'는 '그 다문화'가 아니라고, '선생님네는 다문화가 아니라 글로벌'이라고 했다. 우리보다 잘사는 나라에서 온 백인 배우자와 한국인이 결혼해서 만든 가정. 더욱이 영어를 쓴다. 부모 모두 고등교육을 받았고 경제적으로도 어렵지 않다. 법률적 용어가 어떻든 상관없이 사람들의 머릿속에서 이런 경우는 '다문화'가 아니라 '글로벌'이다.

다문화는 농촌이나 지방 소도시에 사는 한국 남자와 중국, 베트남, 필리핀 같은 곳에서 온 여성이 결혼해서 생긴 가족이어야 어색하지 않다. 이 가족의 아이들은 피부색이 조금 검은 편이고, 어머니가 한국말이 어눌하기 때문에 아이들도 한국말이 서툴다. 남편과 아내, 시어머니와 며느리 사이의 문화적 차이 때문에 늘 갈등이 일어날 가능성이 있다. 또한 사회적 편견 때문에 가족 모두 차별받기 쉽다. 언론 보도와 사회 캠페인을 통해서 우리가 학습한 다문화 가족의 이미지는 이와 비슷하다.

장학사와 이야기를 나눈 뒤 나는 사람들에게 더 자주 우리 가족을 다문화 가족으로, 우리 아이들을 다문화 청소년이라고 소개했다. 결혼 이주자와 한국 국적자가 만나 이룬 다문화 가족에는 한 가지 모습만 있는 게 아니라고 얘기하고 싶어서 그랬던 것 같다. 모든 가족이 그렇듯이 다문화 가족도 그 안을 들여다보면 삶의 모습이 다 다를 터이다. 세상 어디에도 어떤 것의 '전형'을 이루고 있는 집은 없다. 그때 나는 우리 가족을 그냥 여느 가족으로 봐주기를 원했으면서도, 반대로 누군가가 우리를 구분해서 지어 놓은 그 이름으로 소개했다. 다문화 가족에 대해 사람들이 그려 놓은 전형성이 싫어서 그랬다.

나는 국제결혼 가족을 다문화 가족이라고 하는 것을 이제 그만

두어야 하지 않을까 생각한 적이 많다. 여러 가지 이유가 있는데, 먼저 다문화라는 이름이 도움이 필요한, 적응에 어려움을 겪는, 편견과 차별을 겪는, 우리가 배려해야 할 사람을 의미하는 낙인이 되어 버렸기 때문이다.

더욱이 다문화라는 이름은, 이런 시선을 감추면서 뭔가 타인을 배려하는 '정치적으로 올바른' 이름이라는 외피를 쓰고 있다. 그래서였을까, 하루는 애린이가 그랬다.

"다문화라고 하지 말고, 차라리 혼혈이라고 불렀으면 좋겠어. 그걸 얘기하고 싶은 거잖아."

다문화 가족이라는 이름이 알맞지 않다고 생각하는 또 다른 이유는, 다문화(多文化)가 이름 그대로 다양한 문화가 공존하는 상태를 말하고, 문화가 생활양식이나 삶의 방식이라고 한다면, 나는 세상에 다문화 가족이 아닌 가정이 없다고 생각하기 때문이다. 과연 단문화(單文化) 가정이 있을까? 모든 결혼은 다른 문화에서 성장한 남녀가 만나서 함께 사는 것이므로 문화의 차이는 일반적인 결혼에서도 늘 있는 게 아닐까? 또 우리는 아이를 키우면서 그들의 언어, 취향, 놀이 방식이 우리 세대하고 다르다는 것을 날마다 경험하고 있지 않나? 자녀와 문화 차이를 느끼지 않는 부모가 있을까? 또 우리 부모님 세대하고는 어떤가? 다들 부모님 세대와 문화적 장벽 없이 순조롭게 대화할 수 있나? 나는 그렇지 않다고 본다.

모든 가족은, 특히 이렇게 모든 것이 빠르게 변화하는 한국 사회에서 가족은, 가족 구성원 사이에 수많은 문화적 갈등을 안고 있다고 본다. 다문화 가족이 겪고 있는 문화 갈등, 그건 사실 우리 모두 매일 겪고 있는 것이고, 그걸 날마다 풀어 가면서 살고 있는 것이다. 그런데도 우리는 다문화라는 이름을 쓰면서 '다양성'의 문제를 민족 사이의 문제로만 한정 지어 버린다.

다문화, 다문화 가족, 다문화 아동 청소년, 다문화 학생. 이 말들은 마치 다양성을 존중하는 것처럼 보이지만, 사실 한 무리의 사람들을 이 범주 안에 집어넣고 한 가지 색을 칠해 버리면서 그 안에 있는 개개인의 다양한 색깔을 지워 버릴 가능성이 매우 높은 말들이다. 그래서 나는 이 말을 좋아하지 않는다.

그리고 이 말은 우리가 살면서 어디서나 만날 수 있는 '다름'을 섬세하게 풀어 가도록 격려하기보다는, 피부색이나 생김새처럼 눈에 보이는 겉모습이 다른 점에만 주목하게 만들어서, 다양성의 문제를 민족이나 인종 문제로만 축소시켜 버리는 오류를 일으킨다. 그래서 나는 이 말에 찬성하지 않는다.

더 나아가 말은 단순한 소리가 아니라 그것을 넘어서 '힘'을 가지고 있는데 이렇게 집단을 규정하는 말은 결국 사람을 무리 짓게 만든다. 우리와 그들을 구분하고, 때때로 그들을 무리 밖으로 내보내기도 한다. 그래서 나는 이 말에 반대한다.

•

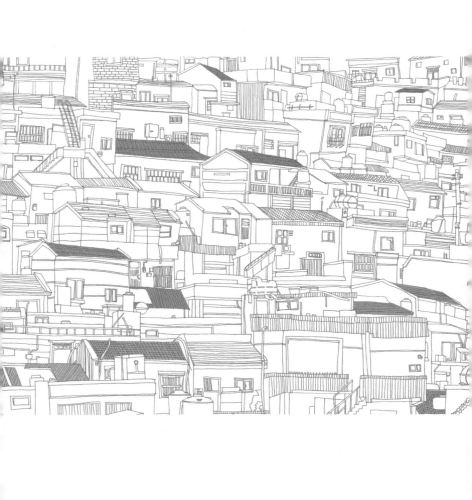

구별하는 이름

누구나 낯선 것을 만나면 이미 우리가 알고 있는 어떤 것을 참고해서 비교하며 파악하려고 한다. 새로운 것이 우리가 가지고 있는 생각의 틀에 잘 맞으면 무리 없이 받아들이고, 잘 안 맞으면 사람들은 크게 두 가지 가운데 하나를 선택하게 된다. 내 생각을 바꾸던가, 새로운 정보를 버리던가.

이때 개인이 어떤 선택을 하느냐는 여러 가지 요인에 따라 달라질 거다. 예를 들어 내가 이미 가지고 있던 생각이 얼마나 확고한지, 내가 그 생각에 따라 얼마나 일관된 행동을 해 왔는지, 그 생각이 그동안 사회적으로 얼마나 지지받았는지, 새로운 것이 나한테 얼마나 중요한 일인지, 새로운 것이 얼마나 낯선지, 내가 얼마나 새로운 것들을 많이 만나 보았는지, 이전에 이와 비슷한 것을 만났을 때 내 경험이 어땠는지……. 나도, 내가 아는 많은 사람들도 이런 과정을 거쳐 새로운 것을 받아들이기도 하고, 버리기도 하고, 생각의 틀을 바꾸기도 하면서 살고 있다.

나는 이 새로운 '것'이 사물이나 정보가 아니라 '사람'일 때, 혹은 '사람과 관련된 것'일 때 좀 더 신중하고, 좀 더 성찰하는 태도를 갖기를 희망한다. 그래야 내가 낯선 이를 볼 때 그를 좀 더 깊게 이해할 수 있을 것 같다. 또한 그래야, 낯선 이가 나를 볼 때도 내가 온전히 이해받을 수 있을 것 같다.

　낯선 사람을 만날 때 그 개인의 고유성을 한눈에 다 아는 것은 불가능하다. 그래서 보통은 그가 속한 어떤 집단에 그를 넣어서 파악한다. 여성, 남성, 중·고등학생, 초등학생, 교사, 회사원, 서울 사람, 외국인……. 때때로 집단을 가리키는 이름이 없으면 만들기도 한다. 다문화도 그런 경우리라.

　그런데 이 이름이 타인을 온전히 이해하는 데 방해가 되는 경우도 적지 않다. 성찰이 필요한 지점은 여기이다. 일단 집단의 이름이 생기고, 개개인의 총합인 것처럼 생각되는 집단의 이미지가 만들어지면 우리는 낯선 이를 집단 속에 넣고 충분히 안다고 착각할 수 있다. 그렇게 되면 그와 내가 더 깊은 관계를 맺는 게 어려워진다. 혹시 나도 그런 것은 아닌지, 이 사람을 집단의 이름으로 다 파악했다고 믿는 것은 아닌지 스스로 물어보는 것. 이것이 내가 생각하는 성찰이다.

　집단은 필연적으로 안과 밖의 경계를 만든다. 경계가 생기면 그렇지 않았을 때는 존재하지 않았던 구별이 생긴다. 이 경계와 구별은 매우 은근해서 우리는 의식하지 못한 채 말과 행동으로 타인을 내가 속한 무리에서 추방시키기도 한다. 내가 의도하지 않았으나 일상적으로 저지를 수 있는 미묘한 구별과 배제를 되돌아보는 것, 그것도 성찰의 영역이다.

애린이가 4학년 때 일이다. 애린이의 4학년 담임선생님은 정말 좋은 분이었다. 아이들 하나하나에 대한 애정과 관심이 깊었고, 학부모하고도 폭넓게 소통했다. 애린이도 나도 선생님을 무척 좋아했다.

어느 날 사회 시간이었다. 사회 교과서에 다문화 가족에 대한 내용이 나왔다. 그게 다양한 가족 형태를 설명하는 단원이었는지, 소수자의 권리 보호를 이야기하는 단원이었는지는 잘 모르겠다.

담임선생님이 그때 무슨 생각을 했는지 "자, 다문화 부분은 애린이가 읽어 보자" 하고 말씀하셨다. 애린이는 자리에 일어나서 그 부분을 읽었다. 그러면서 왠지 부끄러운 마음이 들었다고 했다. 애린이는 만 세 살이 되기도 전에 그 마을로 이사 와서 다른 친구들과 같이 동네 어린이집과 유치원, 초등학교 1, 2, 3학년을 다녔다. 그래서 그동안 반 친구들과 똑같이 학교생활을 해 왔는데, 그 순간 교과서를 읽으면서 나는 너희와 다르니 '다름을 존중해 달라'고 얘기하는 꼴이 되어 버렸다.

나는 그 좋은 담임선생님이 왜 애린이를 지목했는지 이해할 수 있을 것 같다. 좋은 의도로 한 게 틀림없다. 애린이가 그 부분을 직접 읽게 해서 혹시라도 그동안 다문화 학생으로 차별이나 따돌림을 당한 적이 있다면 교과서 내용을 통해 그걸 다른 학생들에게 말하게 하고 싶으셨을 거다. 또 아이들이 애린이가 그 단원을 읽는 것을 보고 진짜 우리 곁에는 다문화 가정이 있다는 걸 실감나게 이해하고 함께 잘살아야겠다는 것을 배우게 되리라 기대하셨을 거다.

그런데 실제로는 선생님이 기대했던 것과 달리 정반대의 결과가 일어난 것 같다. 적어도 애린이에게는 그랬다. 읽는 행위 자체가 애린이를 다른 존재로 구별 짓는 것이 되었고, 교사가 "얘는 사실 소수자"라고 공식적으로 확인해 주는 것처럼 되었다. 애린이는 마음이 상했다.

"엄마, 장애인에 대한 단원을 휠체어를 타고 있는 아이에게 읽어 보라고 하면 그 아이는 기분이 어떨 것 같아?"

네가 누구인지 확인해 주는 행위를 우리는 별생각 없이 하고 있다.

교사는 좋은 의도로 말했으나 학생은 부끄러워졌던 이야기가 또 있다. 한 북한 출신 학생이 해 주었던 이야기다. 이 아이들은 대부분 자신이나 자신의 부모님이 북한에서 왔다는 이야기를 하지 않고 학교생활을 한다. 그러다가 이들이 다른 사람에 의해 '확인되는' 순간이 있다. 확인해 주는 사람은 주로 교사이다. "너, 북한 사투리 해 봐"라든가 "오늘 탈북은 남아"라고 말하는 일부 몰상식한 선생님들 얘기는 굳이 할 필요가 없다. 그게 잘못되었다는 것은 우리 모두 알고 있으니 말이다. 그런 분들은 북한 출신 학생들뿐만 아니라 모든 학생들에게 무례할 것이다. 그러면 이런 분은 어떤가.

C라는 학생이 있었다. 북한을 떠나 갖은 고생을 하다 열네 살 때 한국에 와서 초등학교를 한 학기 다니고 올해 중학교에 들어왔다. 어머니는 지방에 일하러 가시고 할머니와 같이 사는데, 이 친구가 제법 성실하다. 처음에는 성적이 하위권이었는데 늘 열심히 해서 한 학기가 지난 뒤에는 반에서 중간 정도를 하게 되었다. 담임 선생님은 이 아이가 대견해서 성적표를 나눠 주면서 이렇게 말했다.

"얘들아, C를 봐. 한국 교육이 정말 낯설었을 텐데도 열심히 하니까 이렇게 잘하게 되잖아. 너희도 잘할 수 있어."

아이들을 격려하고, 특별히 C를 칭찬해 주고 싶었을 텐데 C는 이 이야기를 듣고 부끄러워졌다. 묻어 버리고 살았으면 했던 정체가 탄로 난 것 같은 기분이었다.

아이들 이야기를 잘 듣다 보면 어른이 무얼 해야 할지, 선생님은 무엇을 도와주어야 할지 좀 더 분명해지기도 한다. 나는 한국에서 다문화 청소년과 관계있는 프로젝트들을 하면서 이 아이들을 가까이서 만날 기회가 있었다. 특히 교육부의 '글로벌브리지'

사업을 할 때 그랬다. 글로벌브리지는 다문화 학생이 글로벌 인재로 성장하도록 대학이 교육 프로그램을 마련해 주는 것이다. 한양대학교 에리카캠퍼스에서는 한국언어문학과와 영미언어문화학과 교수들이 협력해서 언어 교육을 했다. 나는 3년 동안 전체 코디네이터를 하면서 해마다 50명 정도의 아이들을 만났다.

그러던 중 2013년에 여성가족부 이주배경청소년지원재단에서 하는 '다문화 감수성 교육 프로그램 개발 연구'를 맡게 되었다. 교육 자료 사례를 모아 보려고, 글로벌브리지에 참가하는 학생 열일곱 명을 데리고 1박 2일로 이야기 캠프를 갔다. 애린이와 린아도 거기 있었다. 린아만 초등학교 3학년이었고, 다른 열여섯 명은 모두 초등학교 5학년부터 중학교 3학년이었다. 아이들은 중국, 일본, 러시아, 필리핀, 몽골, 영국인 엄마나 아빠가 있었다. 이미 1년 동안 친해진 아이들은 밤새 웃고 울고 놀고 하면서 자기 이야기들을 들려주었다.

아이들의
이야기

나는 몇 개의 질문을 준비해 갔다. 이런 것들이었다.

* 나는 차별받은 경험이 있나? 그렇다면 언제, 어디서, 누가, 무엇을, 어떻게 했고, 왜 그랬다고 생각하나?
* 그때 나는 어떤 기분이 들었나? 그래서 어떻게 반응했나?
* 앞으로 비슷한 일이 일어나면 어떻게 대응하겠는가?
* (상대의 이야기를 듣고) 나라면 그 상황에서 무엇을 느꼈을까? 어떻게 행동했을까?
* 사회가, 학교가, 친구들이 이렇게 해 주면 좋겠다.

우리는 이야기를 하러 간 거지, 수업을 하러 간 게 아니었다. 이야기는 하다 보면 얼마든지 새로운 길로 가기도 하고, 한 곳에 깊게 머물기도 한다. 미리 준비한 질문은 진행자가 참고만 하면 된다. 질문지보다 더 중요한 것은 아이들이 자유롭게 이야기할 수 있는 편안하고 안전한 공간을 마련해 주는 것이고, 진행자 없이도 아이들이 자유롭게 이야기할 수 있게 하는 것이다.

아이들 대여섯 명씩 모둠을 만드니 세 모둠이 되었고, 한 방에 한 모둠씩 들어가 둘러앉았다. 나는 중학생 반에, 대학생 조교 둘은 초등학생 방에 들어갔다. 아이들은 방에 들어가자마자 그때가 5월이었는데도 주섬주섬 이불을 깔았다. 다들 이불 속에 발을 넣고 앉아 자기 이야기를 하기 시작했다.

아이들이 말해 준 '차별' 경험은 직접적이거나 폭력적인 것이 아니었다. 오히려 짓궂게 놀리거나 말로 낙인을 찍거나 불편한 눈초리로 바라보는 것이 대부분이었다.

애린이는 길을 가는데 중학생 오빠들이 계속 "헬로, 헬로" 하면서 영어를 해 보라고 해서 짜증이 났다고 했다. (비슷한 일이 얼마 전 영국에서도 있었다. 학교에서 어떤 아이들이 애린이에게 '하로, 하로'라고 말하며 지나갔다. 영어를 못하는 중국인이나 일본인을 흉내 낸 것이었다. 거기서도 여기서도 헬로가 문제다.) 애린이가 이야기를 했더니 아버지가 영국인인 S와 어머니가 러시아인인 E가 크게 공감해 줬다. S는 애린이에게 이렇게 조언했다.

"그때 얘기를 하면 안 돼. 영어로 얘기하지 말고 그냥 가야 해. 얘기하면 계속 그래."

S는 아이들과 싸울 때 상대가 질 것 같으면 "외국인인 주제에"라고 이야기한다고 했다. 그리고 이렇게 덧붙였다.

"싸울 때 내 약점을 아니까."

이 얘기에 많은 아이들이 공감했다. 엄마나 아빠가 중국인인 아이들도 "다문화 주제에"라는 말을 들은 적이 있다고 했다. 한국 아이들은 뭔가 자기가 불리해지면 "다문화"를 들이댄다고 했다. 부모가 국제결혼을 한 것, 그건 이 아이가 어찌할 수 없는 일이다. 스스로 선택한 것이 아닌 것, 노력해도 바꿀 수 없는 것을 가지고 상대를 공격하는 것은 비열한 짓이다. 이들에게 이렇게 말한 아이들은 비겁했다.

E가 이야기해 준 이야기는 너무 어이가 없어서 그저 웃음이 나왔다. 그녀는 눈이 파랗고 금발이다.

"애들이 눈 색깔이 파라니까 다 파랗게 보이냐고 물어보잖아. 그때 그 말 듣고서 나는 그걸 물어봤어. 너네는 검정색이니까 다 검정색으로 보이겠네? 그랬더니 걔네가 야 외국인, 깝치지 마, 그러는 거야. 그때 속상했어."

애들이 다 한마디씩 했다.

"그럼 나는 온 세상이 갈색으로 보이겠네."

"그럼 난 주황색."

나는 그렇게 말한 한국 애들이 어쩌면 정말 그게 궁금해서 물어봤을 수도 있겠다는 생각이 들었다. 경험하지 못해서 생긴 무지

•

는 생각보다 어이없을 수 있다. 그 이야기를 한 아이는 정말 파랗게 보인다고 생각한 건 아닌지, 그럼 이건 악의가 아니라 무지를 탓해야 하는 일이다.

그런데 그 아이가 비겁했던 것은 그다음이다. E가 '그럼 너는 검게 보이느냐'는 말로 이 아이의 무지를 한순간 드러냈을 때 그가 한 말이다.

"야, 외국인. 깝치지 마."

민망한 아이는 E를 비열하게 공격했다. 다문화 아이들이 취약한 건 이런 때이다. 그걸로 대화는 끝났다. E는 자기가 차별받는다고 생각했고, 이렇게 이야기한 한국 학생들은 자기 행동이 비겁했다는 것을 알지 못했을 거다.

거의 모든 아이들은 외국인 부모의 언어를 해 보라고 할 때 스트레스를 받는다고 했다. 중국어를 해 보라거나, 일본어를 해 보라거나, 영어를 해 보라거나, 러시아어를 해 보라거나. 이건 또래 아이들만 그러는 게 아니다. 선생님이 그럴 때도 있고, 동네 사람들이 그럴 때도 있다. 사람들은 엄마가 혹은 아빠가 외국인이면 아이가 그 언어를 자동적으로 배운다고 생각하는 것 같다.

나도 비슷한 경험을 한 적이 있다. 애들이 어릴 때 아파트 엘리베이터에서 겪은 일이다. 나는 린아를 안고, 토니는 애린이를 안고 있었다. 동네 아주머니 한 분이 말을 걸었다.

"애들이 영어를 잘하죠?"

"애들은 아직 어려서 아무 말도 못해요."

내 대답이 까칠했다. 그러지 말고 "네, 아직은 잘 못하는데 앞으로 잘하겠죠"라고 말해도 됐을 텐데. 나는 한 살, 세 살 된 아이에게 영어를 잘하냐고 물어보는 것이 어이없기도 하고, 자꾸 우리가 어떨 거라고 마음대로 생각하고 바라보는 것에 슬슬 짜증 나기도 해서 그렇게 이야기했다.

사실 한국에서 자라는 아이들은 부모가 특별히 노력하지 않는 이상 한국어를 모국어로 쓰게 되는 경우가 많다(재미 교포 2세가 영어를 하지만 한국어를 못하는 경우가 많은 것과 마찬가지다). 우리 아이들도 그랬다. 한국어는 자연스레 배운 모국어이고, 영어는 배워야 하는 언어였다. 이런 아이들에게 자꾸 다른 말을 해 보라고 하는 건 스트레스를 받는 일이었다. 잘 못하기도 하거니와 그 질문을 받는 순간 다르다고 구별 짓는 게 싫은 거다.

아이들은 언어를 잘해도 문제, 잘 못해도 문제라고 했다. Y는 "엄마가 중국 사람인데 왜 중국어 못하냐?"는 이야기를 들었고, H는 일본어를 잘 못하는 자기한테 일본어를 하라는 게 싫었다. D는 수업 시간에 중국 관련 단원을 배우다가, 선생님이 학생들에게 중국에 관해 질문했을 때 반 아이들이 모두 자기를 쳐다본 적이 있다고 했다. 자기도 다른 아이들과 마찬가지로 답을 몰랐는데, 아이들은 말 못하고 있는 그를 계속 쳐다보고 있었단다. 너는 당연히 알아야 하지 않느냐는 눈길로.

반대의 경우도 있다. S가 이렇게 말했다.

"영어 시간에 애들이 제가 이야기를 하면 이상한 눈으로 쳐다 봐요."

모두 물었다.

"왜?"

"너는 영어 엄청 잘하잖아."

"그건 다문화에 대한 차별이 아니잖아."

"쳐다보는데 이상한 눈으로 쳐다봐요. 왜 나서냐는 눈으로."

그게 영어여서 그럴 수도 있다. 영어는 한국에 사는 모든 아이의 어깨를 무겁게 하는 짐인데 부모 잘 만나서 그걸 쉽게 하는 S가 부럽고 짜증 났을 수도 있다.

다문화 아이들이 불편해하는 상황을 가만히 들여다보면 거긴 우리 사회와 우리 교육의 그림자가 짙게 깔려 있는 경우가 많다.

역사 시간에 대해서는 다들 할 이야기가 있었다. 일본인 엄마나 아빠가 있는 아이들은 식민지 역사를 배울 때가 너무 괴롭다고 했다. 자기가 죄인 같은 느낌이 든단다. 이 아이들은 가끔 시험에 들기도 한다. H가 말했다.

"아이들이 나한테 독도는 누구 땅이냐고 물어요. 그때 뭐라고 얘기해야 할지 모르겠어요. 나는 한국 땅이라고 생각하는데 '우리 땅이지'라고 이야기를 못 하겠어요. 내가 '우리'라고 하면 애들은 일본을 얘기한다고 생각할 것 같아요. 우리 아빠는 한국 사람인데…….."

H는 위안부를 어떻게 생각하느냐는 질문도 받았다. 당황한 H는 "내가 그걸 어떻게 아냐"고 말했다고 했다.

역사 시간이 자유롭지 못한 것은 어머니가 중국인인 D도 마찬가지다.

"5학년 역사 시간에 청일전쟁을 배웠는데, 한국에서 치렀다고 다른 애들이 이상한 눈빛으로 보고 학교 끝나고 욕하며 싸웠어. 애들이 너네 같은 머저리 새끼들이 왜 우리나라에서 싸우느냐고."

중국 출신 아이들은 병자호란 배울 때도 괴롭다고 했다. 그러자 어머니가 몽골인인 A도 말했다.

"3학년 역사 시간에 몽골…… 뭐지…… 한국에 쳐들어왔어요. 뭘 태워 가지고 그랬다고 나왔는데, 막 애들이 다 나 쳐다봐서……."

나는 이야기를 들으면서 이제 우리가 진지하게 '역사를 어떻게 가르칠 것인가?'를 고민할 때가 왔다는 생각을 했다. 다양한 민족적 배경을 가진 학생이 모여 있는 교실에서는 그동안 한국 사람들끼리 토론 없이 동의했던 '우리' 역사에서 벗어나 여러 가지 다른 처지와 시각에서 바라볼 수 있는 역사를 가르쳐야 할 것 같다.

●

이제 정말 '국사'가 아닌 '역사'를 가르쳐야 할 때가 온 것 같다.

　다문화 학생들을 위해서 그래야 한다는 게 아니다. 그렇게 해야 우리 모두 역사에서 더 많은 것을 배울 수 있기 때문이다. 그렇게 해야 조상의 빛난 얼과 찬란한 문화유산에 대한 소심한 자부심, 평화를 사랑하는 백의민족을 침략한 외세에 대한 분노, 우리 역사가 가장 비극적이라는 피해 의식에서 벗어나 사람 사는 넓은 세상의 이야기를 좀 더 차분히 할 수 있지 않을까? 이건 우리 어른들의 과제이다.

　나는 아이들의 "차별 경험"을 들으면서 한편으로 그것이 물리적인 폭력이나 적극적인 따돌림이 아니라 불편한 시선으로 보거나 구별 짓는 것, 다문화라고 말로 낙인찍는 정도인 게 그나마 다행이라고 생각했다. 그리고 그 행동의 근원이 적대 의식이나 혐오감이라기보다는 경험이 없어서 생긴 무지나 미숙함 때문이라는 것 또한 다행스러웠다. 그건 훨씬 가르치기 쉬운 일이다. 그리고 그것은 어찌 되었든 반드시 가르쳐야 하는 일이다.

차별에
대처하기

1박 2일을 계획하면서 내가 정말 알고 싶었던 것은 이 아이들이 차별받은 경험보다 그들이 이런 상황에 어떻게 '대처'하는지였다. 차별, 모욕, 불공정한 대우, 언어적·물리적 폭력은 세상 어느 곳에나 있고 누구도 바라지 않지만 누구에게나 일어날 수 있는 일이다. 이런 일이 일어나지 않도록 교육하거나 사회적으로 일깨우는 것이 중요하다는 건 누구나 알고 있다. 그런데 사실 그만큼 중요한 일은 이런 일이 닥쳤을 때 어떻게 대처할 것인가를 가르치는 일이다. 피해자가 어떻게 대처하느냐에 따라서 가해자의 다음 반응이 달라지기 때문이다.

아이들은 자기 나름의 방식으로 불편한 상황에 대처했고, 자신의 방법을 서로 조언해 주었다. 이들의 방법을 정리하자면 이런 것들이다. 그냥 참고 무시한다, 싸운다, 엄마나 선생님에게 말한다, 벽에 대고 소리 지르든지 인형을 때린다, 교육청에 신고한다…….

여자아이들은 주로 무시한다고 이야기했다. 그리고 이들은 싸운다고 이야기한 남자아이들에게 무시하라고 조언했다. 남자아이들은 "중국인 새끼라고 놀려서 주먹을 날렸다"고 말한 D에게 박수를 보냈다. H는 자기가 놀림받은 걸 엄마에게 이야기했고 일본인 엄마는 놀린 아이의 엄마를 찾아가서 사과를 받아 냈다고 했다. 누군가 그럴 때는 선생님에게 말하라고 조언하니까 B가 "선생님도 말 잘 안 들어 주셔요. 아, 그래그래 그러고 하지 마 이러기만 하고"라고 이야기했다. 애린이도 선생님이 아이들 앞에서 아이를 꾸짖으면 괜히 고자질한 자기만 나쁜 사람이 되고, 수업 시간에 다문화와 잘 지내라고 이야기하면 자기만 부끄러워진다고 했다. 그러자 D가 교육청에 신고해서 그 선생님을 자르라고 했다.

어떤 방법도 적절치 않아 보였다. 나는 이 아이들이 이럴 때 어떻게 하라는 것을 배워 본 적이 없다는 것을 알았다. 하긴 많은 아이들이 이런 일을 당했을 때 자기를 지키기 위해 무엇을 하라고 배워 본 적이 없다. 생각해 보면 나 자신도 제대로 배운 적이 없다. 나는 아이들이 말한 대처 방법 중에 그나마 효과적인 게 막내 린아가 말해 준 방법이라고 생각한다.

린아가 2학년 때, 반에 짓궂은 남자아이 J가 있었다. 어느 날 J가 린아에게 "너는 돌연변이 합성인이야" 하고 놀렸다. 어떤 맥락이었는지는 모르겠다. 린아는 화가 났다. 그래서 이렇게 말했다.

"야, 내가 돌연변이면 너는 돼지의 돌연변이다. 그것도 제주산 흑돼지!"

J는 얼굴이 까무잡잡하고 뚱뚱했다. 반 아이들이 와르르 웃었고 J는 얼굴이 빨개졌고 다시는 린아를 놀리지 않았다.

나는 린아가 이 상황을 잘 다뤘다고 생각한다. 다른 여자아이들 처럼 '무시해 버린다'고 하면서 실제로는 아무 대응도 하지 못한 채 속상한 것을 참은 것도 아니고, 몇몇 남자아이들처럼 말로 공격당한 것을 주먹으로 돌려주지도 않았으며, 선생님이나 엄마에게 일러서 다른 사람의 권위에 기대지도 않았다. 상대가 말로 공격한 것을 말로 갚았고, 상대가 외모로 공격한 것과 똑같이 상대방 외모를 놀리는 것으로 그게 적절치 않다는 뜻을 분명히 했다. 다만 조금 더 강도를 세게 하긴 했다. 그건 먼저 싸움을 건 상대에 대한 응징이었다.

린아는 일이 일어난 그날 나에게 이 이야기를 했다. 그런데 그 당시 내 마음속의 반응은 어이없게도 '린아가 너무 말을 심하게 하지 않았나' 하는 걱정이었다. 내 내면의 '착한 아이' 콤플렉스는 이럴 때 전혀 도움이 안 되었다. 그때 오히려 린아를 적극적으로 지지해 준 것은 남편이었다. 잘했다고 이야기해 주고 역시 내 딸이라고 칭찬했다.

차별적인 언어와 행동에 대처하는 방법을 나도 잘 모르기 때문에 이런 상황에서 아빠가 아이들에게 해 주는 조언을 주의 깊게 본다. 하루는 애린이가 동네 놀이터에서 놀고 있는데, 키 큰 남자 아이가 느닷없이 애린이 가슴을 세게 쳐서 애린이가 뒤로 넘어졌다. 우리도 거기 있었는데, 갑자기 일어난 일이어서 모두 놀랐다. 나는 그 아이에게 가서 "왜 그랬니? 앞으로 절대 이러면 안 된다!" 하고 말했다.

그때 토니가 애린이를 일으켜 세워서 같이 남자아이에게 뚜벅뚜벅 걸어왔다. 그리고는 애린이에게 너도 한 대 때리라고 했다. 그리고 남자아이에게 그래야 공평하지 않느냐고 했다. 애린이가 주먹으로 그 아이 가슴을 한 대 때렸다. 그러자 남자아이는 꾸벅 인사를 하고 다른 곳으로 뛰어갔다. 남자아이는 키 큰 외국인 남자 어른에게 겁을 먹었는지도 모른다. 나는 좀 당황했다. 이건 내가 지금까지 알고 있었던 방법이 아니었다. 난 그때 우리 애가 똑같이 때리면 안 될 것 같았다. 애린이가 나중에 그랬다.

"아빠, 기분이 좀 좋아졌어요."

그의 방법과 내 방법. 어차피 어른이 끼어든 것은 마찬가지였다. 그런데 그 아이에게 "다시는 그러지 말라"고 말한 내 방법은 사실 아무에게도 도움이 안 되는 것이었다. 애린이는 여전히 속상하고, 때린 아이는 아무것도 배우지 못하고. 더 중요한 것은 그건 애린이가 그 상황에서 아무 역할도 하지 않고 무력하게 남게 되는 방법이었다.

•

영국에 와서도 비슷한 경험을 했다. 여기에도 아시안을 놀리는 개념 없는 아이들이 있다. 눈을 양쪽으로 쭉 찢어서 얼굴에 들이댄다든지, 중국어 발음을 흉내 내며 지나가는 것이다. 애린이가 전학 온 지 얼마 되지 않았을 때다. 한 남자아이가 애린이 곁을 지나가면서 "칭칭 총총"이라고 말하고 갔다. 애린이는 당황했고 어떻게 해야 할지 몰랐다. 속상해하면서 이야기하는 애린이에게 남편은 이렇게 조언했다.

"애린아, 그 아이가 한 번만 더 너에게 그렇게 하면 이렇게 말해. '너는 네가 중국어를 한다고 생각하는데 그건 중국어가 아니다! 그리고 난 중국 사람이 아니어서 중국어를 쓰지 않는다! 마지막으로 한 가지 네가 명심해야 할 것은 네가 나한테 한 번만 더 그렇게 옳지 않은 행동을 하면 학교에 이 문제를 보고할 거고, 그다음 결과는 네가 책임져야 할 거다!' 이 세 가지를 단호하게 이야기해."

그리고 남편은 학교에 찾아가서 담임교사에게 이 일을 알렸다. 교사는 당황해하며 이런 문제는 학교가 심각하게 다루는 문제이니 그 아이 이름을 알려 달라고 했다. 남편은 교사에게 이렇게 이야기했다.

"그 아이 이름을 지금 알려 줄 수는 없습니다. 저는 그 아이에게도 기회를 줘야 한다고 생각합니다. 우선 애린이가 스스로 부딪쳐 볼 겁니다. 이런 문제는 애린이가 살면서 얼마든지 또 겪을 수 있는 일이기 때문에 나는 이번 기회에 우리 아이가 스스로 자기를 지킬 수 있는 능력을 갖게 되기를 바랍니다. 그러나 만약 그래도 해결되지 않으면 그때 학교에서 개입해 주십시오. 미리 부탁드립니다."

교사는 알았다고 했다. 다행히 이 일은 두 번 다시 일어나지 않았고 애린이는 준비해 둔 세 가지 말을 쓸 기회가 없었다. 그래도 앞으로 어떻게 해야 할지를 배웠다.

다문화 아이들은 한동안 사람들의 고정관념과 무지, 미숙함이 만들어 내는 차별적 언어와 행동을 겪게 될 거다. 어떤 이는 비열하게 공격하기도 할 거다. 그럴 때 어떻게 대처해야 하는지 잘 가르쳐 주는 것, 그것도 어른들의 몫이다. 하긴 그 대처 방법은 이 아이들뿐만 아니라 모두에게 가르쳐 주어야 한다. 누구도 가해자이기만 하거나 피해자이기만 하진 않기 때문이다. 우리 모두가 배워야 하는 '함께 사는 법'은 스스로 가해자가 되지 않도록 성찰하는 것과 함께 피해자가 되었을 때 자신을 지킬 수 있는 것, 두 가지 다 아니겠는가.

다문화를 넘어서

아이들이 마지막으로 해 준 이야기는 "사회가, 학교가, 친구들이 이렇게 해 주면 좋겠다"이다. 이것은 그냥 아이들 목소리 그대로 들려주는 게 좋겠다. 더할 것도 뺄 것도 없다.

"제가 생각하기에는 다문화든 외국인이든 한국인이든 그냥 차별 없이 학교 다니고 그리고 어려운 거 있으면 서로 도와주고 그런 게 좋은 거 같아요."

"저는 이상한 눈으로 바라보지 않았으면 좋겠어요. 특별한 아이다, 그런 거를 하지 않고 그냥 남들과 똑같이."

"우리나라 사람들은 다문화를 한국인으로 보지 않고 외국인으로만 생각해 가지고……. 우리도 엄연한 한국인인데 다들 외국인이라고만 생각하니까 그러지 않았으면 좋겠어요."

"저는 중국인이라고 놀려도 되는데요. 근데 다문화는 부모 가운데 한 명이 외국인이잖아요. 그러면 그 부모를 놀리는 건데, 그러는 게 진짜 이해가 안 됐어요."

"자기들도요 만약 외국에 가면 외국인으로 보이는데, 왜 자기들도 외국인이 될 수 있다는 생각을 안 하는지 이해가 안 가요."

아이들은 그냥 똑같이 대해 주고 어려운 것이 있으면 서로 도와줬으면 좋겠다고 했다. 한국인이든 외국인이든 다문화이든 상관없이. 다문화라고 해서 특별히 더 어려움을 겪을 것이라는 시선이 이들을 더 불편하게 만들 수도 있다. 도움이 필요하면 도와주자, 그가 누구든. 사실 그래야만 다문화에 대한 지원이 "우리도 어려운데 왜 재만 도와주냐?"는 비난이나 역차별 논란에서 자유로울 수 있다. 지원하지 말자는 것이 아니다. 어떤 한 집단을 계속 지원이 필요한 무리로 보지 말자는 것이다.

이들을 약자 집단으로 보고, 어깨를 툭툭 치며 '아이고, 불쌍해라, 내가 도와줄게'라고 말하는 온정주의적(paternalistic) 태도는 누구에게도 도움이 안 된다. 사회적 지원은 필요한 사람들에게 지금보다 훨씬 더 폭넓게 골고루 돌아갈 수 있어야 한다.

•

그리고 한국인도 외국에 가면 외국인이 된다는 지적, 귀담아 들을 만하지 않은가? '헬조선'에 숨 막혀서 '탈조선' 하고 싶어 하는 사람들이 주변에 많지 않은가? 언젠가 외국인이 될 사람들, 외국인이 되고 싶어 하는 사람들.

마무리하면서 나눈 다음 대화는 꽤 흥미롭다. 마지막에 큰 방에 열일곱 명이 모두 모여서 각 방에서 했던 이야기를 나누며 전체 토론을 할 때였다. S가 말을 꺼내자 중학생 언니 오빠들이 가세했고 린아도 거들었다. 아이들이 주고받은 이야기다.

"말이 문제죠. 왜 똑같은 사람인데 거기에 딴 이름을 붙여서 얘기하냐고요."

"그니까요. 다문화라는 말 자체가 차별을 두는 언어예요."

"솔직히 그냥 인간은 인간이지, 그냥 사람이다 이렇게 판단하면 될 텐데. 꼭 그렇게 다문화라는 말을 써서 다른 사람과 구별하는 건 아니라고 생각해요. 혼혈인, 다문화 뭐 이렇게 하면은 소외되는 느낌이 들고 솔직히 다문화라는 말을 들으면 기분이 그렇게 좋지가 않고…… 특별하게 부르는 말이 있으니까 더 놀림을 많이 받는 거 같아요."

"그 말뜻 자체는 좋은데 놀릴 때 애들이 '넌 다문화니까 안 돼'라던가 '너는 다문화니까 이상해' 그런 말을 많이 쓰잖아요. 사람 머리에 아예 다문화라는 말이 놀리는 말로 된 것 같아요. 머릿속에 박힌 거 같아요."

"그리고 지금은 세계화라고 막 하고 있잖아요, 지구를 지구촌 마을이 되게 하려면 서로의 문화를 알아야 더욱더 발전된 세계화를 만들 수 있지 않아요?"

"다문화가 혼혈이라면, 혼혈이 아닌 일반 학생은 단문화 학생이라고 해야 되는 거 아니에요?"

다문화 학생과 단문화 학생, 우리는 그 말이 그럴듯해 보였다. 그래서 우리끼리는 부모 모두 한국인인 아이들을 단문화 학생이라고 했다. 하지만 1박 2일뿐이었다. 아이들은 다시 학교로 돌아갔고 거기서는 아무도 단문화 학생이라는 말을 쓰지 않았다.

나는 이 아이들에게도 다문화 학생이라는 말을 쓰지 않았으면 좋겠다. 그러면 어떻게 부르냐고? 각자 이름이 있지 않은가. 우주를 담고 있는 나만의 이름. 누군가가 마음을 다해 붙여 준 이름. 이 아이들은 다문화가 아니다. 애린이, 린아, 수지, 에카, 희수, 찬우, 민우, 대성이, 유희, 지연이, 찬영이, 민하, 수진이, 수미, 경호, 한선이, 혜민이다.

낯선 곳에서
엄마가 되었다

●

　남편은 어딘가로 나갔다. 나도 아침상을 치운 뒤에 아이를 유모차에
태우고 집을 나선다. 가난한 이들이 가기에 만만한 자선 가게 몇 군데를
기웃거리면 긴 하루 중 두세 시간이 겨우 지난다. 어제는 집으로 돌아오
는 길에 우연히 한 할아버지와 나란히 걷게 되었다. 천천히 유모차를 미
는 내 걸음과 그의 느린 걸음이 비슷했던 거다. 정말 뜬금없이, 불현듯
내가 말했다. 아무 인사도 없이, 맥락도 없이, 더 이상 참을 수 없는 숨을
일순 뱉어 내듯.

　"나는 닥터예요."

　노인이 당황해서 쳐다보았다. 내 말에 당황하기는 나도 마찬가지였다.
짧은 침묵 뒤에 그는 애써 친절하게 대꾸해 주었다.

　"아, 소아과 의사인가요?"

　그는 외국인 여자의 뜬금없는 진술에 나름 맥락을 찾아보려고 했다.
우리가 가고 있는 길 끝에 보건소가 있었고, 나는 유모차를 밀고 있으니,
그냥 이상한 소아과 의사려니 했나 보다.

　"아니오, 나는 박사, 피에이치디(PhD)예요!"

　이번엔 다소 긴 침묵. 노인은 "아……, 그러세요……" 하고 작게 말하

●

고 점점 빨리 걷기 시작했다. 그가 빨리 걷자 나는 더 천천히 걷게 되었다. 부끄러워도 눈물이 나는 모양이다.

2002년 애린이가 태어난 해 10월부터 2004년 린아가 태어난 해 10월까지 우리는 런던에서 살았다. 한국을 떠날 때 나는 다시는 안 돌아올 사람처럼 친구들과 이별했고 그들은 긴 환송을 해주었다. 어떤 삶이 기다리고 있을지는 몰랐지만 막연하게 낙관하고 있었다. 나는 그때까지 큰 실패 없이 살았고 그래서 사는 것에 자신만만했던 것 같다. 사는 게 본래 계획대로 되는 것은 아니겠지만 나는 그때 정말 아무 계획 없이 남편의 나라로 이민을 갔다. 하지만 내가 결혼 이주 여성으로 살았던 그 이민은 오래가지 못했다.

기대와 현실

애린이가 태어나자 토니는 미리 영국으로 떠났고 나는 얼마 뒤 백일을 갓 넘긴 아이를 안고 뒤따라갔다. 런던에 도착한 날, 가을의 막바지라 초저녁부터 어둠이 짙은데 하필이면 그날따라 가로수가 부러질 정도로 폭풍과 비바람이 몰아쳤다. 택시에서 내내 스산한 마음이 들었다. 하지만 곧 남편이 구해 놓은 '우리 집'에 도착해서 미리 부쳐 놓은 짐들을 다시 만나고, 따뜻한 거실에서 홍차라도 마시면 불길한 기분은 사라질 것이라고 마음을 다독였다.

집은 작았다. 이층집에 아래층만 쓰는 셋집. 더블베드 하나로 꽉 차는 침실 한 개와 그만한 크기의 응접실 하나, 그리고 작은 부엌이 하나 있었다. 거기엔 내 상상 속에 있었던 잔디 깔린 마당도 벽난로도 없었다. 전기는 동전을 넣어야 들어오고 가스레인지는 성냥으로 켜고 무엇보다 난방이 안 되었다. 구리선을 감은 전기

퓨즈는 첫날부터 끊어져서 촛불을 켰다. 한국에서 부친 책들은 좁은 복도를 더 좁게 만들며 위태롭게 쌓여 있었는데, 그걸 보자 목이 꽉 막혔다. 이런 집밖에 구하지 못한 남편에 대한 원망과 상황 파악 못 하고 바리바리 짐을 싸서 보낸 내 어리석음에 대한 후회, 그리고 앞으로 살날에 대한 두려움이 합쳐져서 가슴에 얹혔다.

나중에 한국으로 시집온 중국, 베트남, 필리핀, 캄보디아 여성들을 만나고, 북한 출신 여성과 아이들을 만나 이야기를 들으면서 이들 중에도 한국에서 살게 될 집에 도착했을 때 나와 비슷한 감정을 경험한 사람이 많다는 것을 알았다.

많은 이들이 한국에 오기 전에 한국 드라마를 본 적이 있었다. 드라마가 보여 주는 한국 사회는 모든 것이 세련되고 윤택하며 한국 남자는 자상하고 친절했다. 생사를 건 결정을 내린 북한 출신 여성, 중개업자를 통해 잘 알지도 못하는 한국 남자와 결혼을 결심한 다른 아시아 국가 여성들 뇌리에는 이런 드라마가 남겨 놓은 잔상이 있었다. 물론 드라마에서 보는 삶이 그대로 이루어지리라 기대하지는 않았겠지만 그래도 비슷할 거라는 기대가 있었을 거다. 마치 내가 영국에서 살게 될 집을 막연히 잔디 있는 마당과 벽난로가 있는 붉은 벽돌집일 거라 기대했던 것과 마찬가지로.

그러나 그녀들도 나도 잘사는 나라에 온 것은 맞지만 그만큼 내 삶도 더 잘살게 된 것은 아니었다. 나는 내 몫의 삶을 확인하고 당황했다.

•

'결혼 이주 여성' 이 건조한 단어는 그 안에 많은 사연이 담길 수밖에 없는 말이다. 먼저 나는 '결혼'을 했다. 결혼 전에는 내 삶의 방향을 내가 정하고 내 시간을 스스로 계획해서 내 한 몸 잘 건사해서 열심히 살면 되었다. 그런데 이제 남편이 생겼고 '나'의 삶이 아니라 '우리'의 삶이 되었다. 이인삼각처럼 서로의 삶이 묶이게 되면서 방향도 속도도 다 내 마음대로 되지 않았다. 결혼은 내 마음속 사슬의 약한 고리를 끊어지게 했고 결혼 전에는 그런 게 있는지도 몰랐던 심연의 괴물들을 슬쩍슬쩍 불러내기도 했다.

결혼에 적응하는 것도 쉽지 않았는데 그 와중에 '이주'를 했다. 한국에서 나를 나답게 해 줬던 것들이 여기서는 통하지 않았다. 높은 학력도 인맥도 모두 사회적 맥락에서 빛이 나는 자산이라는 것을 알았다. 맥락을 벗어나니 서울대학교 나온 것을 은근 인정해 주는 사람들도, 내가 아쉬울 때 부탁할 수 있는 사람들도 다 같이 사라졌다. 나는 누군가(somebody)에서 아무것도 아닌 사람(nobody)이 되었다. 나는 그동안 나를 보호해 준 방패 없이 내 자신의 힘만으로 다시 서야 했다.

그리고 마지막으로 '여성'. 나를 여성으로 강력히 호명한 것은 아이들이었다. 나는 나 스스로도 건강하게 서지 못하는 상태에서 어머니가 되어 버렸다.

낯선 곳에서
아이 기르기

애린이는 하루 가운데 네 시간은 유모차에 앉아 있었던 것 같다. 길거리를 하염없이 돌아다니는 엄마를 만난 탓에 아침마다 중고품을 파는 자선 가게 몇 군데를 출근하듯 들르고, 공원에 가고, 동네 이곳저곳에 있는 플레이그룹(Play group)을 찾았다. 낮잠도 유모차에서 잤다.

나중에 한국에 온 뒤 놀이방에 아이를 맡기면서 선생님에게 "애린이는 유모차에서만 자요. 낮잠 시간에 잠을 못 자면 유모차에 좀 태워 주시겠어요?" 하고 부탁했다. 저녁에 아이를 데리러 갔을 때 선생님이 그랬다.

"방에 누워서 아주 잘 자던데요. 깊이 잘 잤어요. 걱정 마세요."

애린이에게 미안했다.

'깊이 잤구나. 그리 선잠을 자더니만. 유모차가 불편했구나. 뿌리내리지 못하는 엄마 때문에 너도 뿌리를 못 내리고 있었구나.'

89

플레이그룹은 엄마들이 아이를 데리고 한두 시간을 보낼 수 있는 공간이다. 보통 교회나 성당 건물 한쪽에 마련되어 있다. 바닥에 장난감을 놓아두고 애들은 바닥에서 놀고 엄마들은 차를 마시거나 잡담을 한다. 영국은 다섯 살이 되면 학교에 가기 때문에 여기에는 어린아이들이 오는데 대부분은 기어 다니는 아이들이다. 플레이그룹은 교회가 지역 사회에 기여하는 자선사업 같은 거라 보통 일주일에 한두 번 오전에만 열렸다. 그래서 나는 알음알음 알게 된 정보로 날마다 다른 교회를 찾아갔다.

어디든 가야 할 것 같아서 찾아갔지만 나는 점차 플레이그룹이 불편해졌다. 아이를 데려온 다른 엄마들하고 나누는 대화 때문이었다. 처음엔 괜찮았다. 안녕하세요(Hi). 애기 이름이 뭔가요(What's her/his name)? 몇 개월인가요(How old is she/he)? 아이가 귀엽네요(She/He is very cute). 서로 이런 인사를 나누었다. 반가웠다. 뭔가 나한테 사회적 관계가 생긴 것 같았다. 다음 날도 갔다. 이번에는 다른 사람들과 또 이런 인사를 나누었다.

일주일쯤 지나고 나니 며칠째 책의 첫 페이지만 읽고 또 읽고 있는 것 같은 느낌이 들었다. 똑같은 순서의 똑같은 질문과 대답. 바뀌는 것이라고는 귀엽다 대신에 예쁘다, 잘생겼다, 순하다, 활기차다, (눈이) 맑다, (키가) 크다 같은 다른 형용사를 쓰는 것뿐이었다. 내가 할 수 있는 것은 거기까지였다. 그들 사이로 들어가서 다음 페이지의 이야기를 하는 것이 너무 어려웠다. 가끔 "다음에 차나 한잔하자"고 얘기한 적이 있었는데 그 '다음'은 아무리 기다려도 오지 않았다.

어울리지 못하는 공간에 머무르는 것, 남이 말 걸어 주기를 기다리는 것, 다른 엄마들끼리 친밀한 대화를 나누는 것을 멀리서 바라보는 것, 늘 책의 첫 페이지만 읽는 것, 그래서 서글픈 마음이 들었지만 나는 날마다 플레이그룹을 찾았다. 그렇게 해야 애린이가 영국 어린이들의 문화를 만날 수 있을 것 같았다. 그렇게 하지 않으면 문화적 결핍이 일어날 것 같았다.

나는 그때 일어나자마자 BBC TV 어린이 프로그램을 켰고 오래된 영국 동요를 들려주었고 영어로 된 동화책을 읽어 주었다. 아이를 위해서 그래야만 할 것 같았다. 그러면서 나는 아이에게 한국어로 이야기했고 한국 그림책도 보여 줬다. 나를 위해서 그래야 할 것 같았다. 시간이 지나면서 나는 말이 없어졌다. 이웃들과 나누는 말은 인사말 몇 개면 충분했고 남편하고는 긴 이야기를 하지 않으며, 아이와 나누는 한국말은 대부분 두 음절 단어들이었다. 엄마, 맘마, 가자, 자자, 좋아, 싫어, 기뻐, 슬퍼, 아파.

한국에서 결혼 이주 여성이 자녀를 키우는 문제를 이야기할 때 빠지지 않는 주제는 '언어'이다. 엄마가 한국말이 어눌해서 아이도 한국말을 늦게 배우게 된다거나 엄마의 모국어를 익혀서 이중 언어를 쓸 수 있는 장점이 있는데도 실제로는 그렇지 못하다는 이야기들. 나는 이런 이야기를 들을 때마다 엄마에게 너무 많은 것을 요구하는 게 아닌가 하는 생각을 했다. 다른 나라에서 온 엄마는 당연히 한국말이 어눌할 수밖에 없다. 모국어가 아니지 않은가. 그래도 집안에는 한국어를 모국어로 쓰는 아빠도 있고 할머니 할아버지, 친척들도 있을 터이다. 그들은 무얼 하고 있기에 아이가 한국말이 늦는 것을 외국인 엄마에게만 책임을 돌리는지.

이중 언어를 쓸 수 있는 것, 물론 가능성이 있는 것은 맞는데 그러려면 엄마가 아이와 많은 이야기를 나누어야 한다. 엄마 마음이 편안해야 하고 엄마가 모국어로 이야기하는 것을 가족이 격려하거나, 격려까지는 아니어도 인정해 주어야 한다. 그런데 엄마가 자신의 모국어로 아이와 이야기하는 것을 시댁 식구들이 별로 환영하지 않는다는 이야기를 들었다. 영어라면 괜찮지만, 중국어나 일본어까지는 그런대로 봐주겠지만 베트남어, 타갈로그어는 곤란하다고 여긴다. 그 언어는 배워도 별로 쓸데도 없고 한국 아이가 되는 데 방해가 되는 말일 뿐이다.

나는 영국에서 아이와 한국말로 이야기했고 시댁 식구들은 모두 그것을 자연스럽게 여겼다. 내가 한국 사람인 것은 전혀 문제가 안 됐다. 그런데도 나는 아이의 언어 발달에 도움이 되는 수다스러운 엄마가 되지 못했다.

한국에서 아이를 키웠으면 더 말을 많이 했을까, 그랬을 것 같다. 적어도 내가 잘 알지 못하는 곳에서 첫아이를 키워야 하는 막

막함으로 생긴 무게감은 줄어들었을 거다. 영국에 살기는 나도 처음인데 갓난아이를 돌봐야 했다. 가장 좋은 것을 주고 싶은데 그게 뭔지 잘 몰랐다. 이곳 엄마들은 다 알고 있는 것을 나만 모르고 있는 것 같을 때는 자신감을 잃기도 했다.

　하루는 보건소에 갔다가 의사에게 아이 이유식에 대해 물어본 적이 있다. 의사는 위타빅스 같은 것을 우유에 잘 개서 먹여 보라고 했다. 나는 그 이름을 처음 들어서 의사에게 그걸 종이에 좀 써 달라고 했다. 뭔가 내가 모르는 음식의 종류라고 생각했다. 슈퍼마켓에서 찾아보니 그건 그냥 시리얼의 상표 이름이었다. 나는 그때 이곳 사람들이 다 알고 있는 일상의 정보를 잘 몰라서 때때로 '예'와 '범주'를 혼동했다.

　나중에 한국에 와서 탈북청소년교육지원센터에서 일할 때 북한에서 온 C 선생님을 보면서 가끔씩 이 일이 생각났다. 하루는 북한에서 온 학부모들을 위해 필요한 자료를 C 선생님에게 맡겼다. C 선생님이라면 먼저 정착한 선배니까 뒤늦게 한국에 온 학부모에게 실질적인 도움이 될 안내서를 만들 수 있을 것 같았다. C 선생님이 만들어 온 자료를 살펴봤다. 물건을 살 때 필요한 정보가 이렇게 적혀 있었다. "전자 제품은 하이마트에 가요. 책은 교보문고에서 사요. 식료품은 이마트에 가요." 이주민들은 때때로 하나의 보기, 예일 뿐인 사실을 전체를 대표하는 것으로 생각하기도 한다. 이건 논리의 문제가 아니라 경험의 문제이다. C 선생님도 그랬고 나도 그랬다.

　엄마가 양육에 자신감을 잃으면 아이가 힘들어진다. 돌이 조금 지난 애린이가 플레이그룹에 온 다른 아가들을 물기 시작했다. 늘 그 일은 순식간에 일어났고 몇 번이나 계속되었다. 나는 물린 아이의 엄마들에게 사과하느라 바빴다. 보건소에 가서 의사와 상의했다. 의사는 헬스 비지터(Health Visitor)를 보내 주겠다고 했다. 헬스 비지터는 전문 간호사가 집으로 찾아와 아기의 건강한 발달을 도와주는 국가건강서비스 중 하나이다.

　어느 날 헬스 비지터가 집으로 찾아왔다. 그녀는 아이의 생활 패턴을 점검하기 시작했다. 언제 일어나고, 뭘 먹고, 낮잠은 언제 자고, 산책은 언제 가고, 잠은 어떻게 자는지를 확인했다. 헬스 비지터가 문제로 지적한 것은 아이가 부모와 함께 잔다는 것이다. 그녀는 이렇게 말했다.

　"아이를 독립적이고 자신감 있는 성인으로 자라게 하려면 혼자 재워야 해요. 이렇게 부모와 같이 자면 아이는 그럴 기회를 잃어버립니다."

　우리 집에는 창살이 있는 아기 침대가 있었지만 그때까지 애린이는 늘 내가 데리고 잤다. 나는 아이를 어떻게 혼자 재우느냐고 물었다. 그녀의 전문적 조언은 이랬다.

●

"아이를 자기 침대에 눕히고, '잘 자(Nighty night)'라고 이야기하고 방을 나오세요. 그럼 아이가 웁니다. 15분쯤 뒤에 방문을 열고 다시 아이에게 '잘 자'라고 이야기하고 나오세요. 계속 울겠죠. 그럼 또 15분 뒤에 가서 '잘 자'라고 이야기하고 나오세요. 첫날은 한 시간쯤 울겠지만 다음 날에는 40분, 그다음 날에는 30분쯤 울고 점점 시간이 줄어들어서 일주일쯤 지나면 혼자서 편안하게 잘 자게 됩니다."

양육의 문화적 차이를 그때만큼 분명하게 느낀 적이 없었다. 그때 나는 내 마음이 가는 대로 해야 했는데 전문가의 말에 반대할 만큼 내 방식의 양육을 주장할 자신이 없었다. 혼자 자는 첫날, 아기 침대에 눕히자 애린이는 놀라서 일어나 앉았다. "나이티 나잇"이라고 말하고 돌아서는데 벌써 창살 사이로 손을 뻗치며 울기 시작했다. 남편과 나는 방문을 닫고 나와 소파에 앉아 괴로워하면서 시계 초침만 확인했다. 15분이 지났다. 울음소리는 계속되었다. 침실 문을 여니 아이는 절박한 눈으로 우리를 보며 더 크게 울었다. "나이티 나잇"이라고 말하고 다시 문을 닫고 나왔다. 다시 침묵하며 소파에 앉았다.

그런데 잠시 뒤 울음소리가 들리지 않았다. 우리는 마주 보며 '아니, 이렇게 쉬운 것을. 첫날인데도 20분밖에 안 울었잖아?' 하는 미소를 지었다. 하이파이브도 했다. 살금살금 방문을 열어 봤다. 아, 아이는 서서 잠들어 있었다. 침대 난간을 꼭 붙잡고 앞으로 엎드려서. 얼굴은 눈물로 범벅이 된 채. 나는 바로 애린이를 품에 안았고 다시는 아이를 혼자 재우지 않았다.

　뿌리내리지 못하는 사이에 우린 모두 조금씩 병이 들었다. 아이들은 기어 다니면서 아빠가 숨겨 놓은 빈 술병들을 찾아냈고 나는 말없이 보내는 시간이 많아졌다. 린아가 태어난 해 여름, 나는 두 아이를 데리고 한국에 와서 한 달을 보냈는데 심리학을 전공한 선배가 애린이를 보고 조심스럽게 놀이 치료를 권했다. 다른 선배 한 명은 내 모습을 보고 당장 한국으로 돌아오라고 했다. 평소에 그녀답지 않게, 단호하게.

　런던으로 돌아온 뒤 어느 날 친정집에서 소포가 왔다. 거기에는 내가 한국에 두고 온 자잘한 물건들이 있었다. 아이들 옷가지에 장난감, 하다못해 고무줄 머리끈, 아이들이 낙서해 놓은 찢어진 종이까지. 그걸 받은 날 부엌 마루에 주저앉아 큰 소리로 울었다. 부모님은 아이들이 두고 간 물건을 찾을까 봐 걱정해서 보내셨을 텐데 나는 그걸 한국에 있는 우리 흔적을 다 돌려보낸 것으로, 잘 사는 나라로 이민 갔으니 실패해서 돌아오지 말라는 메시지로 읽었다. 늘 마음은 늪에 빠졌다.

　나는 돌아올 수밖에 없었다.

다시 만난 그녀들

다시 돌아온 게 너무 기뻐서 그랬을까. 전입신고를 하러 주민 센터에 갔을 때 재외 국민은 거소증을, 국내 거주 국민은 주민등록증을 발급받는데, 어떻게 하겠냐고 물었다. 나는 주민등록증을 받겠다고 했다. 주민 센터 공무원은 알겠다고 하고는 내 여권에 있는 영국 영주권에 무효 도장을 찍었다. 영국 정부가 발급한 것을 한국 정부가 무효로 처리하는 게 부당하다는 생각이 들었고, 빨갛게 찍힌 무효 도장이 잠깐 실패 도장처럼 보여서 쓸쓸했지만 그래도 상관없었다. 나는 완전히 돌아오고 싶었다.

사람들이 물었다. "영국이 아이 키우기 좋은 곳이 아니었느냐"고. 내 대답은 이랬다. "엄마가 마음이 편한 곳이 아이 키우기 좋은 곳인 것 같다"고. 내겐 한국이 아이 키우기 좋은 곳이었다. 남편은 다시 대학에 취직했고 나도 시간강사 일을 시작했다. 아이들은 아파트 1층 놀이방에 맡겼다. 놀이방 선생님은 따뜻했고 수

첩에 매일매일 아이들이 어떻게 지냈는지 편지를 써 주었다. 식구들과 친구들은 늘 가까이서 도와주었다. 나는 내가 한국에 두고 떠났던 것들에 감사했다. 귀한 줄 모르고 하찮게 여겼던 것들이 그동안 내 일상을 얼마나 안전하게 지탱해 주었던가를 비로소 깨달았다.

내가 한국에 사는 결혼 이주 여성을 가까이서 만난 것은 그 뒤 10여 년이 지난 뒤다. 2015년에 내가 있었던 한양대학교 글로벌 다문화연구원에서는 여성가족부 공모 사업으로 '이주 여성의 성찰적 글쓰기' 프로그램을 시작했다. 안산에 살고 있는 이주 여성 가운데 참가자를 모집했다. 일본, 중국, 베트남, 캄보디아, 인도네시아, 우즈베키스탄, 나이지리아에서 온 쿠미코, 사유리, 리영, 영숙, 명순, 정옥, 나영, 혜나, 에코, 수산티, 율리아, 그레이스 씨가 모였다. 우리는 석 달 동안 매주 글쓰기 수업을 하면서 자기 삶을 한 꼭지씩 써 내려갔다.

글쓰기가 끝날 때쯤 우리는 글 쓰는 과정에서 무엇을 느꼈는지 이야기를 나누었다. 다들 이 과정이 너무 힘들었다고 했다. 한국어로 글을 쓰는 것이 어려웠고 뭘 써야 할지도 고민되었다고 했다. 늘 글을 써야 한다는 부담이 어깨를 누르고 있었단다. 하지만 한 꼭지씩 정리해서 쓴 글을 마무리했을 때 느낀 보람은 이루 말할 수가 없었다.

이들이 한결같이 이야기한 것은 글을 쓰면서 자신을 온전히 다시 돌아보게 되었다는 것이었다. 옛날 생각이 많이 났고, 자신이 얼마나 용감했는지, 부모님의 사랑을 얼마나 많이 받았는지, 얼마나 좋은 친구가 많았는지 다시금 확인하게 되었고, 그래서 힘이 났다고 했다. 또 처음 한국에 왔을 때는 정말 힘들었는데 그때랑 비교하면 지금 얼마나 잘 살고 있는지, 그동안 얼마나 애썼는지 자기를 칭찬해 주게 되었고, 앞으로 더 자신 있게 살 수 있을 것 같아서 좋다고 이야기했다.

과정이 끝났을 때 열두 명의 여성들은 모두 자서전을 한 권씩 갖게 되었다. 남편에게, 아이들에게, 시부모님에게, 친정 부모님에게, 이웃들에게, 그리고 자기 자신에게 보여 주고 싶은 책을 만들어 냈다. 프로그램을 함께 만든 젊은 친구 해나는 책 표지마다 각각 다른 꽃 그림을 넣었다. 은방울꽃, 선인장꽃, 데이지, 민들레, 국화, 해바라기, 목화, 접시꽃. 다시 보니 신기하게도 그 꽃이 모두 그 사람을 닮아 있다.

글을 쓸 때 누구나 마음속으로 독자를 생각하게 된다. 중국에서 온 리영 씨의 책 제목은 '아들'이다. 그녀는 이 책을 스물두 살 된 아들을 위해 썼다. 책은 이렇게 시작한다.

"'아들'이라는 단어는 다른 어머니들에게는 어떤 의미인 줄 모르겠지만 나에게는 뭐라고 형용할 수 없는 말이다. 아들은 나를 감동시키고 행복하게 해 주고, 그리고 나는 아들에 대해서 기쁨과 동시에 깊은 슬픔과 연민을 갖는다."

이 책은 리영 씨가 불행한 결혼 생활에서 아들을 어떻게 길렀는지, 왜 중국으로 다시 보내게 되었는지, 다시 만났을 때 느끼는 서먹함을 얼마나 애통해하는지에 대한 기록이다.

그녀는 처음에 포기하려고 했다. 글쓰기를 시작하고 얼마 뒤에 이제 그만 오겠다고 말했다. 잊고 있었던 슬픈 기억들이 몰려와서 너무 힘들다고 했다. 그런데 몇 주가 지난 다음 그녀가 다시 찾아왔다. 쓰고 싶다고 했다.

글쓰기 진도도 너무 뒤처지고, 복잡한 심경을 풀어내기에는 한국말을 쓰는 실력이 모자라서 그다음부터는 그녀와 내가 책상에 나란히 앉아 함께 작업했다. 그녀가 자기 이야기를 말로 하면 내가 가능하면 말한 그대로 글로 옮겼다. 내가 글로 옮긴 것을 그녀가 다시 읽으면서 자기 마음이 잘 적혔는지 확인했다. 나는 그때 깊은 한숨을 많이 쉬었다. 슬픔과 안타까움, 분노와 미안함을 몰아내려면 어쩔 수 없었다. 연대감 같은 것을 느꼈다. 그래서 자꾸 그녀의 손을 잡았다.

그녀는 남편을 중매로 만나 1992년에 부천에 있는 가난한 집으로 시집왔다. 그녀는 고향에서 유치원 선생님이었고 자신의 아이가 생기면 어떻게 키우고 싶다는 꿈을 늘 갖고 있었다. 그런데 현실은 그 꿈과 한참 달랐다. 아들을 임신했을 때 남편은 한 번도 병원에 데려가지 않았다. 돈이 아깝다고 했다. 아이도 집에서 낳으라고 했는데, 무서워서 제발 병원에 가게 해 달라고 사정했다. 아이는 병원에서 낳았지만 다음 날 바로 퇴원했다. 남편은 택시비를 아낀다며 집까지 걸어오라고 했다. 그녀는 기어서 집에 왔다. 남편은 그녀에게도 아이에게도 정이 없었다. 장난감 하나, 사탕하나 사 주지 않았다. 그녀는 분유라도 좋은 걸 먹이고 싶어서 식당에서 일했다. 그때부터 아이는 늘 밤까지 그녀와 식당에 같이 있었다.

그녀는 이렇게 말했다.

"나는 최선을 다했으나 내가 줄 수 있는 것은 너무 적었다. 그래서 아들이 열 살이 되었을 때 중국의 내 고향으로 보냈다. 남편과는 10년을 살고 이혼했다. 같이 사는 동안 남편은 나에게 돈을 주지 않았고, 때렸고, 학대했다. 시어머니도 나를 부끄럽게 여겼고 나에게 욕을 했다. 남편과 이혼한 지는 이미 10년도 넘게 시간이 지났지만 나는 지금도 그때를 생각하면 고통스럽다. 나는 이 글을 아들을 위해서 쓴다. 내가 얼마나 아들을 사랑하는지, 엄마가 힘들 때 아들이 얼마나 큰 힘이 되었는지, 부족하지만 내가 얼마나 아들을 지키고 싶어 했는지, 내가 가진 모든 것을 얼마나 주고 싶었는지 아들이 알았으면 좋겠다."

그녀는 10년 만에 다시 만난 아들과 지금 같이 살고 있다.

"나는 지금 아들과의 관계가 별로 좋지 않다. 아들에게 무슨 일이 생긴 것 같아서 물어보면 아들은 나에게 중국어로 '입 다물어!'라고 이야기한다. 그러면 나는 기가 막혀서 내가 하고 싶었던 말을 뱉지도 못하고 삼키지도 못한다. 그럴 때는 너무 화가 난다."

하고 싶은 말을 '뱉지도 삼키지도 못한다'는 것, 그녀는 이 표현을 한참이나 설명해 주었다. 나도 그 느낌이 무엇인지 안다.

되돌아보기

우리는 책을 다 쓴 뒤에 대학 강당을 빌려서 북콘서트를 했다. 글쓴이의 식구들과 친구들, 이웃, 대학생들을 초대했다. 열두 명의 여성들이 모두 자기가 쓴 책의 한 부분을 읽었다. 리영 씨는 그날 빨간 투피스에 화사한 스카프를 매고 왔다. 그녀는 아들에게 주는 시를 읽었다. 듣는 사람들이 울기 시작했다. 어머니가 아들에게 주는 편지는 청중의 마음속에서 자신의 어머니를 불러냈고, 그녀의 고통은 그가 중국인이든 한국인이든 상관없이 누구든 깊은 연민을 갖게 만들었다. 나는 한 인간의 삶은 그가 어느 출신인지 상관없이 그 자체로 존중되어 마땅하다고 생각했다. 아니 적어도 그래야 한다고 다짐했다. 왜냐하면 이 일을 하면서 나는 내 자신이 그렇지 못하다는 것을 깨달았기 때문이다.

리영 씨 자서전을 곁에서 같이 쓰면서 나는 왠지 계속 미안한 마음이 들었다. 그녀의 남편에게 화가 났고 그가 한국인이라는 것이 부끄러웠다. 같은 한국인으로서 내가 그녀에게 속죄해야 할 것 같았다. 그러다가 그녀가 결혼했던 남자가 한국인이 아니라 한국에 살고 있는 화교라는 것을 알게 되었다. 그녀가 처음에 이야기를 했을 텐데 내가 흘려들었나 보다. 결혼 이주 여성은 당연히 한국인 남자와 결혼한 외국인 여성이라고 생각해 버리는 틀에 갇혀 있었는지도 모른다.

아무튼 그 나쁜 남자가 중국인이라는 것을 알게 된 순간 내 마음에 어이없는 안도감이 들었다.

'아, 한국 남자가 아니었어. 다행이다.'

뭐가 다행이었을까. 나는 지금까지 그녀를 같은 여성으로 이해하며 고통과 연대감을 느꼈다고 생각했는데 그게 아니었나 보다. 그가 한국인이 아니라는 사실이 그녀의 고통과 내 마음 사이에 거리를 만들고, 그 거리만큼 내 마음이 편해진 것이다. 어이없는 일이었다.

이건 한국 남편과 외국인 아내의 문제가 아니라 폭력적인 남편과 학대받는 아내의 문제이다. 그러니까 남편이 한국인이든 중국인이든 그건 내 마음에서 일어나는 연민에 영향을 미치지 말아야 한다. 그리고 사실 폭력적인 남편이 한국인이었다 하더라도 내가 그를 대신해서 한국인으로서 부끄러워하거나 사죄할 일도 아니었다. 그런데도 나는 내내 그녀의 이야기를 '한국인으로서' 들었다. 나는 뼛속 깊이, 무의식 영역까지, 한국인이라는 '집단' 안에서 사고하고 느끼나 보다.

이런 사고방식이 리영 씨 같은 '그들'을 결정적인 순간에 타자화시킬 수 있다는 것을 깨달았다. 반성했다. 그런데 반성한다고 금방 고쳐질 것 같지는 않다. 그래서 다짐할 수밖에 없다. 내 안에 구별 짓는 습관이 매우 뿌리 깊다는 것을 늘 생각하기, 그리고 앞으로 이런 비슷한 상황을 겪게 될 때 내 마음속을 좀 더 잘 들여다보기. 내가 한 사람을 온전히 그 개인으로 보고 있는지 말이다.

이주 여성들과 함께한 글쓰기 프로그램은 여러모로 나 자신을 돌아보게 했다. 열두 명의 여성들은 모두 씩씩했다. 대학에서 하는 글쓰기 프로그램에 참가해서 한국어로 책을 쓸 만큼 용기 있고 당당했다. 오래전의 내 모습이 생각났다. 나라면 엄두도 내지 못했을 일이다. 나는 그때 누가 나를 알아봐 주기만을 기다렸지, 내가 뚜벅뚜벅 그들 사회로 걸어 들어가지 못했다. 그래서 중국에서 온 영숙 씨의 글을 읽었을 때 나는 그녀의 씩씩함이 부러웠다. 그녀의 책 마지막 장에는 이런 시가 적혀 있다.

나는 박영숙이다.
나는 부모님의 딸로서 착한 딸이다.
나는 남편 양소윤의 아내이며
나의 아들 양태식의 엄마이며 현모양처이다.

•

나는 나다.

나는 주변 사람들에게 늘 감사한 마음으로

사랑하는 마음으로 사는 박영숙이다.

다문화 강사도 하며 학생이기도 하다.

나는 앞으로도 쭉 공부를 계속할 것이다.

공부를 통해 더 많이 배우고, 더 발전하고

더 멋진 인생으로 살 것이다.

박영숙, 파이팅!

아……. 영숙 씨가 한 말과 내가 한 말 "아임 어 닥터" 사이에는 엄청난 차이가 있다. 나는 그녀만큼 당당하지도 않았고, 자신감도 없었다. 그리고 다시 이주해 온 지금도 그녀만큼 씩씩하지 못하다. 영숙 씨는 한국에 온 지 15년이 넘었다고 했다. 거기에서 위안과 희망을 찾는다. 나도 그 시간을 보내고 나면 그녀처럼 당당해져 있기를.

이주는 여러모로 어려운 일이다. 그중에서도 결혼으로 이주하게 된 여성들이 겪는 어려움이 가장 클 것 같다.

가족이 모두 같이 외국으로 이민 가는 경우, 그들은 자신에게 익숙한 것들을 함께 데리고 간다. 사는 곳은 외국이지만 집 안은 한국 같다. 한국 텔레비전도 마음대로 보고 한국 음식도 늘 해 먹는다. 한국말을 쓰는 건 당연한 일이다. 그런 집에 가게 되면 내 마음도 그리 편할 수 없다.

혼자 외국에 나가 사는 경우도 외롭기는 하겠지만 마음은 편할 것 같다. 자기 한 몸만 잘 관리하면 된다. 그리고 이 경우에는 유학이든 취업이든 자기가 속한 사회적 공간이 생긴다. 낮에는 자기가 속한 사회적 공간에서 자기가 맡은 일을 하고 밤에는 자기만의 공간에서 쉬면 될 것 같다.

그런데 이주 여성처럼 결혼과 함께 남편의 나라인 외국에서 살게 된 경우, 더욱이 남편하고는 아직 충분히 친해지지 않았고, 의사소통도 잘 안 되고, 자기한테 익숙한 것도 가까이 없는데 여기서 평생을 살아야 한다면 그건 참으로 어려운 일이다. 물론 평생을 살지 않아도 된다. 이혼할 수도 있고 돌아갈 수도 있다. 그래도 누구나 결혼할 때는 동화에 나오는 것처럼 "그 후 평생 행복하게 살았답니다"를 꿈꾼다.

나는 평생 살 것처럼 영국으로 갔다가 두 해 만에 한국으로 돌아왔다. 돌아와서는 한국에서 평생 살 것처럼 영국 영주권을 버렸다. 그리고 열두 해가 지나서 다시 영국으로 왔다.

나는 이번에는 평생 여기서 살겠다는 마음을 먹지 않는다. 평생이라는 그 애매한 시간은 엄청 무거워서 쪼개지 않으면 숨을 쉴 수가 없다. 쪼개야만 내 삶도 손에 잡히고 그래야 지금 뭘 해야 하는지도 알 것 같다. 그래서 이제 1년씩만 살려고 한다. 그러다가 그 1년이 모여서 평생이 되면 좋은 거고 아니어도 좋은 거고.

결혼 이주 여성. 나는 이 말을 들으면 가슴속이 찌르르 저린다. 15년 전에 유모차를 밀면서 하염없이 길을 걷던 젊은 엄마가 생각나서 그렇다. 아직도 아픈 것을 보니 가만히 돌아보면서 '애쓴 거 다 안다'고 나를 위로해 줄 시간이 좀 더 필요한 것 같다. 문득 궁금해졌다. 한국으로 시집온 많은 여성들은 이 시간을 어떻게 보내는지. 곁에서 가만 손잡아 주며 애쓴다고 위로해 주는 사람들이 있기는 한 건지.

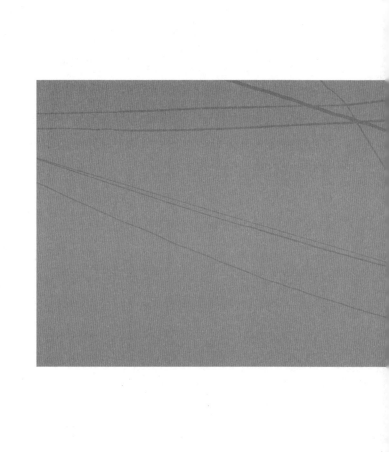

교육은
권리다

"준비가 되면 아이들을 데려오세요."

"무슨 서류를 준비해 와야 할까요?"

"이 양식에 맞춰 적어 오시면 됩니다."

선생님은 한 장짜리 편입 신청서를 건네주었다.

"이전 학교 졸업 증명서나 재학 증명서는 필요 없나요?"

"없어도 괜찮습니다."

"성적 증명서나 담임교사의 편지 같은 건요?"

"가져오시면 저희가 가르치는 데 참고가 되겠지만 굳이 안 가져오셔
도 됩니다."

"출생증명서, 접종 증명서, 거주지 증명서 같은 것도 필요 없나요?"

"아이들이 이곳에 살게 되지 않나요? 그냥 아이들만 있으면 됩니다."

"정말 아무것도 안 가져와도 되나요?"

됐다는데도 나는 자꾸 물었다.

편입학 '자격'

2016년 5월, 우리 가족은 영국으로 다시 돌아왔다. 이번에는 잉글랜드 남쪽 바닷가 도시 이스트본(Eastbourne)에 살게 됐다. 남편과 나는 살 집도 찾고, 학교도 알아보려고 이주하기 한 달 전에 미리 왔다.

학교를 찾아갔다. 캐번디시 스쿨(Cavendish School), 동네 공립 중학교다. 약속한 시간에 학교에 가니 마침 부활절 방학이어서 학생들은 없고 선생님 한 분이 우리를 기다리고 있었다. 선생님은 학교 현관에서부터 우리를 맞아서 교실과 특별 학급, 강당, 운동장을 꼼꼼히 보여 주었다. 복도나 교실에서 만나는 교사들과 이야기도 나눴다. 학교를 다 둘러보고 다시 현관으로 오니 한 시간이 훨씬 지났다. 선생님은 사는 곳을 옮기고 시스템이 다른 곳에서 공부하는 것이 아이에게 큰 도전이 될 거라고 그래서 부모는 걱정이 많고 신중할 수밖에 없다는 것을 충분히 이해해 주었다.

아이를 보낼지 안 보낼지 아직 결정도 안 하고 온 학부모에게 이렇게 많은 시간을 내준 선생님에게 감동하면서 다른 학교는 더 볼 것도 없이 그냥 이 학교에 보내기로 마음먹었다.

편입학 서류는 나라마다 학교마다 다를 거다. 나는 적어도 몇 가지 꼭 필요한 서류는 갖추어 와야 한다고 생각하고 있었다. 그런데 이 학교에서는 아무것도 요구하지 않았다. 그냥 아이만 있으면 되었다. 그래도 미덥지 않았다.

"한국에서는 이렇게 외국에서 오게 되면 다른 나라에서 학교 다닌 기록을 내야 하거든요."

선생님은 여기서는 그렇지 않다고, 홈스쿨링을 하다가 온 학생들도 있는데, 그럼 그 사람들은 어떻게 하냐고 되물었다.

학생이 오면 그냥 자기 나이에 맞는 학년에 편입한다고 했다. 혹시 공부를 따라가는 게 어려운 경우, 나이보다 낮은 학년으로 갈 수도 있냐고 물었다. 그렇게는 하지 않는다고 했다. 그리고 영어가 부족하면 EAL(English as an Additional Language) 교사가 도와줄 거라고 했다. 영어를 모국어로 하지 않는 것을 EAL, 그러니까 영어를 '추가 언어'로 쓰는 학생이라고 했다. 하긴 다른 언어를 모국어로 쓰는 학생에게 영어가 '두 번째' 언어라는 보장이 없으니 ESL(English as a Secondary Language)이 아니라 EAL이라고 하는 게 맞는지도 모르겠다고 생각했다.

어쨌든 우리 아이가 갈 학교에서는 편입학에 필요한 어떤 서류도 원하지 않았다. 심지어는 거주지를 증명하는 주소 찍힌 우편물도 필요 없었다. 그렇게 애린이와 린아는 그냥 학교에 갔다. 자기 나이에 맞게 9학년과 7학년 학급으로. 우리 아이들이 쉽게 이곳 학교에 입학을 하니 한국에 와서 학교에 들어가려고 온갖 서류를 갖춰야 하는 이주 청소년들에게 미안한 마음이 들었다.

한국에서 초·중·고등학교 편입학은 초·중등교육법 시행령에 따라 이루어진다. 법령에 따르면 중학교 입학을 위해서는 초등학교 졸업 학력이, 고등학교 입학에는 중학교 졸업 학력이 있어야 된다. 이런 기본 조건을 채우지 못하는 사람은 적어도 이와 동등한 학력으로 인정되는 다음 조건을 채워야 한다. 초·중등교육법 시행령 제96조에는 이렇게 적혀 있다.

제96조(초등학교 졸업자와 동등의 학력 인정) ① 다음 각 호의 어느 하나에 해당하는 사람은 상급 학교 입학 시 초등학교를 졸업한 사람과 같은 수준의 학력이 있다고 본다. 〈개정 2005. 9. 29, 2007. 6. 28, 2008. 2. 22, 2009. 11. 5, 2010. 6. 29, 2013. 10. 30, 2017. 11. 28.〉

1. 초등학교 졸업 학력 검정고시에 합격한 사람

2. 제98조의 2 제1항 각 호의 어느 하나에 해당하는 사람으로서 교육감이 학력심의위원회의 심의를 거쳐 6년 이상의 우리나라 학교 교육과정을 마친 사람에 상응한 학력을 가진 것으로 인정한 사람

3. 종전의 '소년원법' 제29조 제4항에 따라 초등학교에 상응하는 교육과정을 마친 사람

4. '대안학교의 설립·운영에 관한 규정' 제6조에 따라 초등학교 과정 학력 인정을 받은 사람

5. 외국에서 6년 이상 또는 초등학교에 해당하는 학교 교육과정을 마친 사람

6. 제5호에 따른 학교 교육과정 외에 교육부장관이 초등학교에 해당하는 학교 교육과정에 상응하는 것으로 인정하는 외국의 교육과정 전부를 마친 사람

초등학교 졸업 학력 인정은 제96조에, 중학교와 고등학교는 제97조와 제98조에 쓰여 있는데, 내용은 비슷하다. 제96, 97, 98조는 초·중등교육법 시행령 중에서 지난 10여 년 동안 가장 많이 고친 조항들이다. 원래 있는 조항으로는 제대로 학교에 들어가기 어려운 집단이 그동안 하나둘씩 생겨났기 때문이다.

가장 대표적인 집단은 북한 출신 청소년이었다. 이 아이들이 북한을 떠나 한국까지 오는 데는 몇 개월에서 몇 년까지 걸렸다. 더욱이 1990년대 중반 '고난의 행군'이라고 하는 극심한 식량난 때는 북한에서도 학교를 다니지 못했다. 그런 아이들이 한국에 왔는데, 북한에서 공부한 시간을 기준으로 편입학을 하게 되니 제 또래 아이들과 같은 반이 되는 것은 거의 불가능했다. 규정대로

하면 북한에서 소학교 2학년까지 다니다가 우여곡절 끝에 한국에 온 열일곱 살 소년은 초등학교 3학년에 들어가야 했다. 내가 본 것 중에 가장 극단적인 사례는 초등학교 5학년에 다니는 열여덟 살 여학생이었다.

그래서 만든 게 2번 조항에 나와 있는 학력심의위원회였다. 2008년 2월 2일, 초·중등교육법 시행령에 제98조의 2가 새롭게 생겼다.

① 다음 각 호의 어느 하나에 해당하는 사람의 학력 인정에 관한 사항을 심의하기 위하여 교육감 소속으로 학력심의위원회를 둔다. 〈개정 2013. 10. 30, 2017. 11. 28.〉

1. 군사 분계선 이북 지역 출신자

2. 학력 증명이 곤란한 다문화 학생

3. 제29조제2항 각 호의 어느 하나에 해당하고, 다음 각 목의 어느 하나에 해당하는 사람

　가. 교육감이 인정하는 학교 밖 교육 프로그램을 이수한 사람

　나. 교육감이 인정하는 학교 밖 학습 경험이 있는 사람

② 학력심의위원회는 위원장 1명을 포함한 5명 이상 7명 이하의 위원으로 구성한다.

③ 학력심의위원회의 위원은 제1항 각 호의 어느 하나에 해당하는 사람(이하 "북한 이탈 주민 등"이라 한다)에 관한 업무를 담당하는 공

무원, 교육 전문가 및 학력 평가 전문가 중에서 교육감이 임명하거나 위촉하고, 위원장은 위원 중에서 호선(互選)한다. 〈개정 2013.10.30, 2017.11.28.〉

④ 학력심의위원회의 위원의 임기는 2년으로, 위원장의 임기는 1년으로 하고, 각각 연임할 수 있다.

⑤ 학력심의위원회는 다음 각 호의 사항을 심의한다. 〈개정 2013.10.30.〉

1. 북한 이탈 주민 등의 학교 교육과정 이수 정도, 수학 능력 및 나이 등을 고려한 학력 인정 기준에 관한 사항

2. 학력 인정 대상 및 시기에 관한 사항

3. 북한 이탈 주민 등 또는 그 보호자가 요청하는 경우 학력 인정 및 학년 결정에 관한 사항

4. 제98조의 3에 따른 학교의 결정 및 운영에 관한 사항

⑥ 학력심의위원회는 심의에 필요한 경우 북한 이탈 주민 등에 대하여 전문 기관을 통한 학습 능력 평가 등 학력 인정 및 학년 결정을 위한 평가를 실시할 수 있다. 〈신설 2017.11.28.〉

⑦ 이 영에서 규정한 사항 외에 학력심의위원회의 구성·운영, 학력 인정을 위한 평가의 기준·대상·방법·시기 등 필요한 사항은 교육감이 정한다. 〈개정 2017.11.28.〉

[본조 신설 2008.2.22.]

길고 건조한 이야기를 간단히 요약하면, 북한에서 온 사람들은 학력심의위원회에서 학력 인정을 해 준다는 것이다. 법 조항이 새로 생기자 다음 해에 16개 시·도 교육청에 모두 학력심의위원회가 만들어졌다. 학력 심의를 받고 학력 인정을 받은 북한 출신 청소년은 그래도 제 나이에 맞게 학교에 편입학할 수 있게 되었다.

그 뒤로 중도 입국 청소년의 편입학도 어렵다는 문제가 제기되었다. 중도 입국 청소년은 "결혼 이민자가 한국인 배우자와 재혼하여 본국의 자녀를 데려온 경우와 국제결혼 가정의 자녀 중 외국인 부모의 본국에서 성장하다 청소년기에 재입국한 청소년"을 말한다(이주배경청소년지원재단 www.rainbowyouth.or.kr). 예를 들어 중국인 어머니가 한국의 새아버지와 결혼하게 돼서 엄마를 따라 한국에 오게 된 중국 청소년 같은 경우이다. 아니면 우리 집 애린이와 린아 같은 경우도 한국식으로 이야기하면 영국에 온 중도 입국 청소년이다. 엄마 나라에서 살다가 청소년기에 아빠 나라로 온 아이들. 물론 여기서는 아무도 그렇게 말하지 않지만.

중도 입국 청소년들이 한국 학교에 편입하려면 학력을 증명하는 자료가 필요한데 필요한 서류를 준비하고 공증을 받아 오는 데 시간과 노력, 비용이 많이 들었다. 더욱이 서류를 준비하는 것을 곁에서 도와줄 사람이 없는 청소년들도 많았다. 이 아이들은 한국 학교에 들어가서 공부를 못 따라갈까 봐 걱정하는 것은 둘째치고, 학교에 들어가기조차 힘들었다. 그래서 다시 이 조항을 개정했다. 2013년 10월 30일, '학력 증빙이 어려운 다문화 학생'들도 학력심의위원회 심의 대상에 들어간다는 문구가 새로 생겼다.

나는 한국교육개발원에서 일하면서 2010년 9월에 경기도교육청 학력심의위원이 되었다. 그때 경기도교육청에서 통일부 하나원(공식 이름은 '북한이탈주민정착지원사무소'로 북한 이탈 주민이 한국 사회에 나오기 전에 3개월 동안 머무는 곳이다.)에 있는 북한 출신 청소년들의 학력 심의를 맡았다. 이제 곧 한국 땅 어디에선가 살게 될 아이들. 한 달에 서른 명쯤 되었다.

우리 심의위원들과 장학사는 어떻게 해야 아이들이 정착할 곳에 가서 제 또래 아이들과 학교에 다닐 수 있게 할지 고심했다. 지금 있는 제도 안에서 최대한 방법을 찾아보려고 했다. 결국 논리와 근거를 찾았고 2011년부터 하나원을 거쳐서 나간 모든 아동과 청소년들은 일반 학교에 편입학하는 것이 한결 수월해졌다.

지난 10년 동안 여러 제도를 보완한 덕분에 지금은 북한 출신 청소년들 같은 경우는 본인이 원하면 제 나이와 비슷하게 학교에 편입하는 것이 어렵지 않게 되었다. 중도 입국 청소년들도 대부분 본인이 원하면 중학교까지는 학교장 재량으로 학교에 편입할 수 있다. 여러 가지 근거를 마련해서 사각지대에 있는 이들을 돕

게 된 것은 큰 발전이라고 생각한다. 그런데 자꾸 찜찜하다. 이것
으로는 충분하지 않은 것 같다. 근본적인 질문이 남아 있는 것 같
다. 이를테면 이런 질문 말이다.

학교교육을 받는데 자격이 필요한가? 왜?

'권리'로서의 교육

어느 학년으로 편입학할지 결정할 때 학생이 그 이전까지 학교에 다닌 햇수를 기준으로 삼는 것, 그 근거는 무엇일까? 가장 그럴듯한 논리는 그전까지 교육과정을 공부해야만 다음 단계의 수업을 이해할 수 있다는 생각 아닐까? 중학교 1학년에서 공부하려면 적어도 초등학교에서 배운 내용을 어느 정도 알고 있어야 한다는 논리 말이다. 그런데 이 논리는 빈틈이 많다.

외국 학교는 한국 학교와 교육과정이 다르다. 거기서 6년을 공부했다고 해서 한국의 초등학교 졸업 학력과 같다는 보장이 없다. 또 북한 출신 학생들에게 북한 학교에서 공부한 햇수를 묻는 것도 이상한 일이다. 북한 교육의 정치 이데올로기적 성격을 거세게 비판하면서 그걸 남한 학교에 편입학할 때 기준으로 삼다니. 그리고 한국에서 계속 학교를 다닌 경우에도 학년을 마쳤다고 해서 그 학년의 교육과정을 다 이해했다고 말할 수도 없다. 우리는 유급 제도가 없기 때문에 출석 일수만 채우면 진급을 한다. 아무것도 배우지 않아도 1년이 지나면 다음 학년으로 올라간다. 어차피 학력(學歷)이 학력(學力)을 보장해 주지 못하는데도 학교 다닌 햇수를 편입학 기준으로 삼는 이유는 무엇일까?

한 가지 생각할 수 있는 것은 제도의 관성이다. 처음부터 그랬으니까 그냥 계속 그런 거다. 사실 이런 편입학 규정은 오랫동안 크게 문제되지 않았다. 우선 사람들이 특별히 불편을 느끼지 않았다. 대부분의 아이들은 일곱 살에 초등학교에 들어가 고등학교 때까지 12년을 줄곧 학교에 다니기 때문에 불편 없이 규정대로 살았다. 정규학교에 다니지 않아서 검정고시 같은 것으로 자격을 증명해야 하는 사람들이 있었지만 소수였고 집단화되지도 않았다.

그런데 이 규정 때문에 불편한 사람들이 생긴 것이다. 북한 출신 청소년, 다문화 청소년. 그래서 따로 제도를 마련해서 이들을 구제했다. 이들을 돕는 활동가들의 노력도 컸다. 하지만 아직도 홈스쿨링이나 학력 인정이 되지 않는 대안교육 시설에 다니는 아이들과 학교 밖 청소년들이 다시 학교에 들어가려면 검정고시로 자신의 학력을 증명해야 한다. 이들도 집단적으로 목소리를 내면 도울 방법이 생길 것이다. 새로운 집단이 제도 개선을 요구하면 법령을 땜질하듯 고치지만, 학교 다닌 햇수를 편입학 기준으로 삼는 원칙은 변하지 않는다. 그러면 이 원칙을 유지시키고 있는 더 큰 힘이 있는 것일까?

•

그 가운데 하나는 이런 규정에 대해 우리가 의식적으로든 무의식적으로든 동의하기 때문이 아닐까? 예를 들면 이런 생각들 말이다. 중학교에 들어가려면 적어도 초등학교를, 고등학교에 들어가려면 적어도 중학교를 졸업한 '자격'을 갖추어야 한다는 생각, 상급 학교를 가고 다음 학년으로 올라갈 수 있는 건 책가방을 들고 학교를 왔다 갔다 했던 그 시간과 성실함의 '보상'이라는 생각, 그동안 학교 열심히 다닌 아이들과 집에서 놀다가 온 아이들이 같은 학년에 들어가는 것은 '불공평하다'는 생각, 대안학교나 홈스쿨링을 하면 학력 인정이 안 된다는 것을 처음부터 알고 선택해 놓고 지금 와서 권리를 주장하는 것은 '염치없다'는 생각. 이런 생각이 마음속에 있으면 편입학 규정을 그렇게 정한 것은 마땅하고 옳은 일이라고 동의하게 된다.

그런데 이 생각을 조금 더 들여다보면 이런 생각과 닿아 있는 것이 아닐까? 무언가를 얻으려면 그만큼 노력해야 한다는 생각, 불평할 시간에 자격을 갖추기 위해 노력하라는 생각, 규정을 따르지 않은 자신을 탓하지 않고 제도 탓을 하고 있다는 생각.

하지만 세상에는 누구나, 아무 조건 없이, 마땅히 누려야 하는 권리라는 것이 있다. 바로 인권, 기본권이라고 하는 것이다. 어린이나 청소년들이 교육받을 권리도 그중 하나이다. 교육의 기회는 성실한 사람에게 주는 상이나 자격을 갖춘 사람들만 가질 수 있는 배타적 권리가 아니라, 누구나 누릴 수 있는 보편적 권리이다.

•

나는 교사 연수를 할 때마다 선생님들에게 묻곤 했다. 권리의 반대말은 무엇이냐고. 그러면 많은 사람이 한결같이 '의무'라고 이야기한다. 우리는 어려서부터 권리와 의무를 한 쌍으로 배웠다. 권리를 이야기할 때마다 의무를 떠올리게 해 줬다. 때로는 권리를 주장하기 전에 의무를 다 해야 한다고 강조하기도 했다. 나는 권리의 반대편에는 의무뿐만 아니라 '자격'도 있다고 생각한다. 어떤 권리는 자격이 없어도 마땅히 보장되어야 한다.

우리 아이를 학교에 보내는데 아무것도 증명하지 않아도 된다는 것. 그 사소한 사실이 나한테 크게 다가온 것은, 이런 경험을 별로 해 본 적이 없었기 때문인 것 같다. 잠시 이 사회가 우리를 환대해 준다는 느낌도 받았다.

그때 확실히 알았다. 교육은 배울 때가 된 어린이라면 누구나, 아무것도 증명하지 않아도 당연히 받을 수 있는 권리라는 것을. 다 우리나라 같은 게 아니었다. 적어도 국가가 '의무교육'이라고 말할 때 "여보세요, 그건 우리의 권리이기도 하거든요" 하고 이야기할 수 있는 거였다. '자격이 안 되는' 아이가 학교에 가는 것은 학교장 재량에 달린 문제가 아니라 그 아이와 학부모가 마땅히 요구할 수 있는 문제였다.

나는 그동안 북한 출신 학생이나 중도 입국 다문화 학생들을 더 많이 학교에 보내려고 제도 안에서 근거를 찾느라 고심했는데,

그걸 넘어서서 누구나 이런 절차 없이 교육을 받을 수 있도록 기회를 열어야 한다는 주장을 좀 더 적극적으로 했어야 했다. 그래야 어떤 이유에서든 학교 밖에 있는 아이들이 본인이 원할 경우 학교로 돌아올 수 있다.

편입학하는 학생이 다른 학생들과 살아온 환경이 달라서 교육 과정을 따라가기 어려운 경우에는 따로 지원할 수 있는 체제를 마련해야 한다. 그게 한국어 수업이든, 기본 교과의 보충수업이든, 진로 교육이든. 그게 본래 학교가 해야 할 일 아닐까. 청소년들이 사회에 나가기 전에 자기 삶에 필요한 지식과 기술을 익힐 수 있게 해야 하는 거 아닐까. 그게 누구든, 어떤 능력을 가지고 있든, 이전에 어떤 경험을 했든지 상관없이 말이다. 청소년들에게 교육은 자격으로 따질 게 아니라 당연히 받아야 할 권리이기 때문이다. 그렇게 되어야 북한 출신 학생이나 다문화 학생뿐만 아니라 여러 이유로 교육에서 소외되기 쉬운 '모든' 학생들이 학교로 돌아올 수 있다.

친한 것과
친절한 것

아이들이 영국 학교에 간 지 한 달쯤 되었을 때 나는 아직 한국에 있으면서 애린이와 통화를 했다. 제일 궁금한 질문, "친구는 생겼니?" 그때 이 질문은 너무 성급했다. "아직." 그리곤 이런 이야기를 해 주었다.

"여기 애들은 친절한데 친하지는 않아. 그래도 그걸 받아들이니까 마음은 편해."

마음이 짠했다.
"그렇구나⋯⋯. 그래도 친절하니 다행이네."
이렇게 얘기하면서도 외롭겠다 싶었다.
친함과 친절함. 이 둘을 조합했을 때 네 가지 경우가 있을 수 있다. 친하고 친절해(++), 친한데 친절하지는 않아(+-), 친하지는 않은 데 친절해(-+), 친하지도 않고 친절하지도 않아(--). 엄마 입장에서야 외국에 간 딸들이 만나는 또래 아이들이 친절해서 친해지면 좋겠지만 그게 어렵다면 친하지는 않아도 친절한 게 그나마 차선이라고 생각했다.

상대방이 친절할 때는 어떤 행동을 할지 짐작할 수 있다. 만약 학교에서 만난 아이들이 친한 것 같은데 친절하지 않았다면 마음고생을 많이 했을 것 같다. 특히 문화가 달라서 맥락을 모를 때는 그 행동이 어떤 의미인지 몰라서 당황하는 일이 많을 것 같다. 네가지 조합 가운데 마지막, 친하지도 않고 친절하지도 않으면 그건 고통이다. 그렇지 않은 것만 해도 다행이라는 생각이 들었다.

아이와 통화한 그날 나는 공교롭게도 안산에 있는 외국인 노동자 쉼터 '지구인의 정류장'에 머무르는 캄보디아 농업 노동자들을 만났다. 이들은 고용주한테서 친밀함이나 친절함을 느끼기는커녕 자신이 일한 만큼의 정당한 대가도 받지 못했다. 속으로 생각했다.

'애린아, 친하지 않아도 돼. 친절하기만 해도 고마운 일이야.'

학교 다닐 때 우리는 '친구들과 친하게 지내라'는 선생님 이야기를 많이 들었던 것 같다. 지금도 가지고 있는 내 초등학교 3학년 때 일기장에는 선생님이 써 준 "누구하고나 친하게 지내는 착한 어린이가 되세요"라는 글이 있다. 그 선생님의 가르침과는 달리 나는 지금도 그러지 못한다. 누구하고나 친하게 지내는 것, 그게 가능한 일일까 싶다.

친하게 지내려면 공통의 관심사도 있어야 하고, 취향도 맞아야 하고, 무엇보다도 같이 노는 게 즐거워야 한다. 친한 것은 '감정'과 관련된 일이다. 감정은 억지로 강요하기 어렵다. 그래서 누구와 '친해지라'고 말하는 것은 무리한 요구이다. 대신 누구에게 '친절하라'고 가르칠 수는 있다. 친절한 것은 '행위'이기 때문이다. 친하지 않아도 상대방에게 인사하고 말 걸고 도와줄 수 있다. 그건 친절한 행위이다. 행위는 가르칠 수 있다. 친절하다 보면 친해질 가능성도 있다. 그러다가 친해지면 좋지만 아니어도 할 수 없다. 아닌 경우가 훨씬 더 많을 거다. 어쨌든 처음부터 다른 사람과 친해지라고 이야기하는 것은 무리한 부탁이고 처음부터 그걸 기대하면 실망하게 된다.

선생님들은 학생들에게 북한 출신 청소년이나 다문화 청소년과 친하게 지내라고 가르칠 때가 많다. 마음을 열라고, 친구가 되어 주라고 말한다. 그런데 그건 서로에게 부담이다. 어차피 그건 누가 하라고 해서 되는 일도 아니다. 친해지라고 하지 말고 차라리 친절하라고 가르치는 게 어떨까. 그리고 친절한 행위가 어떤 것인지 알려 주고 몸에 익히게 하면 어떨까. 혹시 아나, 서로가 서로에게 친절하다 보면 그래서 자신을 좀 더 편하게 드러낼 수 있게 되면 시간이 지나 진짜 친해질지도.

●

안 보이거나
시끄럽거나

교육부에서 발표한 '2017년 교육기본통계'를 보면 2017년 현재 초등학교 중학교 고등학교에 다니고 있는 다문화 학생은 10만 명이 조금 넘는다. 대부분은 한국에서 태어나 자란 아이들이지만 이 가운데 8천 명쯤은 앞에서 이야기한 중도 입국 학생이다. 전체 초·중·고등학생 수가 570만 명이 넘으니, 다문화 학생의 비율은 2%도 되지 않는다. 아직 비율이 높지는 않다. 하지만 2016년에 비해 2017년에는 전체 학생 수가 2.7% 줄어들고 다문화 학생은 10.3% 늘었다고 한다. 이렇게 간다면 앞으로 다문화 학생의 비율은 점점 높아질 것을 쉽게 예상할 수 있다.

경기도 안산은 외국인 주민의 비율이 높은 도시 가운데 하나이다. 안산에는 다문화 학생, 특히 중도 입국 학생들이 많은 편이다.

대학생 스무 명을 데리고 안산 A초등학교에 간 것은 다문화 학생들에게 기초 학습 멘토링을 하기 위해서였다. 교육부에서 하는

'다문화·북한 이탈 학생 멘토링'은 지역의 대학생이 학과 공부가 어려운 다문화 학생들에게 방과 후 학습 지도를 하는 사업이다. 한양대학교 글로벌다문화연구원은 안산에 있는 데다 멘토링은 우리가 잘할 수 있는 일이기도 해서 교육청 지원을 받아 이 사업을 시작했다. 뜻있는 대학생을 모아서 미리 교육을 하고 A학교를 찾아갔다.

A학교에는 멘토링을 받을 중도 입국 학생이 많았다. 돌봄교실의 B 선생님이 우리를 맞아 주었다. 간단한 오리엔테이션을 하고, 멘토와 멘티가 짝이 되어 몇 개 교실로 흩어졌다. B 선생님은 한국어를 잘 못하는 초등학생에게 국어와 수학을 가르쳐야 하는 우리 대학생들이 걱정되었던 것 같다. 아이들이 어수선하게 앉아 있는 교실에서 내게 학생들에 대해서 여러 가지를 알려 주었다. 그런데 아이들이 있는 공간에서 너무 큰 목소리로 이야기해서 나는 점점 마음이 불편해졌다.

"얘네, 잘 안 씻어요. 그래서 여름에는 냄새가 많이 나요. 마음의 준비를 해야 해요. 그리고 얘네들 시끄러워요. 원래 중국어가 그렇잖아요. 또 한국말을 잘 못해요. 다 알아듣는 것처럼 보여도 다시 물어보면 하나도 몰라요."

한 아이가 우리 옆을 지나갔다.

"쟤도 그래요."

그 아이는 지나가다가 우리가 자기를 보면서 무슨 얘기를 하니까 B 선생님을 보면서 "네?" 하고 물었다.

"아니야. 네 얘기 아니야."

나중에 보니 B 선생님은 아이들하고 허물없이 지내며 엄마처럼 잘 챙겨 주는 분 같았다. 어떤 날은 아이들 배고플까 봐 부침개도 부쳐 주었다. 그런데 그때 왜 그런 말을 아무렇지도 않게 했을까? 아이들과 친하다고 생각하셨나? 그렇다면 그분은 친하긴 하지만 친절하지는 않은 것이다. 난 차라리 친하지 않아도 친절한 것, 예의를 갖추는 것이 더 좋다.

그날 집에 오는 내내 마음이 찜찜했다. 이게 얼마나 부적절한 행동이었는지, 이런 상상도 했다. 미국 LA에 한국 학생이 많이 다니는 공립학교에 주립 대학 학생들이 영어 봉사 활동을 하러 왔다고 치자. 그 학교 미국 선생님이 대학생을 데리고 온 교수에게 이렇게 이야기하는 거다.

"얘네들, 냄새나요. 또 시끄러워요. 한국어가 원래 그렇잖아요. 영어 하나도 못해요. 알아듣는 것처럼 보여도 다시 물어보면 몰라요. 쟤도 그래요."

그 곁을 지나던 아이가 "네?" 하고 물었다.

"아무것도 아니야."

미국인 교사가 한국인 학생을 그렇게 대했다고 생각하면 우리는 모멸감을 느낀다.

B 선생님이 하도 거리낌 없이 이야기해서 나는 이분은 지금 아

이들이 안 보이시나 하는 의심을 했다. 그러다가 정말 안 보일 수 있겠다고 생각했다. 상대방이 내가 하는 말을 못 알아듣는다고 생각하면 그 존재를 없는 것처럼 여길 수 있겠다 싶었다. 어차피 무슨 말인지 모를 테니까.

그런데 처지를 바꿔서 내가 그 아이라고 생각해 보자. 외국에서 학교를 다니는데 선생님들이 내 앞에서 무슨 말을 하고 나는 그 뜻을 잘 모른다. 그런데 그 사람들이 꼭 내 얘기를 하는 것 같다. 나를 쳐다보면서 고개를 끄덕이기도 한다. 그러면 신경이 쓰일 수밖에 없다. 어른들도 마찬가지다.

남편과 나는 한국에 돌아온 뒤 우리 이름을 걸고 어학원을 운영했다. 우리 학원에는 원어민 교사가 네 명 있었다. 미국인 제이미 선생님은 우리가 교무실에서 한국말로 이야기할 때 늘 신경 쓰고 있는 게 보였다. 특히 자신의 이름이 들리면 더 그랬다. "아, 그 아이는 작년에 제이미 선생님 반이었지." 같은 별 뜻 없는 말이 대부분인데도 말이다. 그러다가 생각했다. 나라도 그렇겠구나. 내가 한국어를 가르치러 중국에 갔는데 중국 선생님들이 다 중국어로 이야기하다가 웃기도 하고 그러다 가끔 내 이름이 들리면 나도 불안하겠다.

그래서 나는 원어민 교사들이 같은 공간에 있으면, 그리고 이야기하는 내용이 일과 관계있을 때는 사소한 것이라도 가능하면 영어로 이야기하려고 했고, 그냥 잡담 같은 거면 우리는 지금 이

러저러한 이야기를 하고 있는 거라고 미리 알려 주었다. 그리고 이들이 못 알아듣는다고 그 앞에서 없는 사람 취급을 하며 아무 말이나 하는 일은 절대로 하지 않았다. 말을 못 알아듣는다고 보이지 않는 사람 취급하는 것, 오해와 불신을 만드는 확실한 방법이다.

내가 말할 때는 이들이 잘 보이지 않는데, 이들이 말하기 시작하면 그건 확실히 도드라져 보인다. 자기가 모르는 외국어는 다 시끄럽게 들리는 모양이다.

글로벌브리지 사업을 할 때 세 번째 해인가, 우즈베키스탄에서 온 여학생 다섯 명이 한꺼번에 프로그램에 참가했다. 학생들을 뽑을 때 학교 선생님이 직접 아이들을 데리고 와서 아직 한국어를 모르지만 똑똑한 친구들이니 꼭 받아 줬으면 좋겠다고 부탁하셨다. 나는 그때 내가 모르는 사람들이 내가 모르는 언어로 이야기하는 것은 유독 시끄럽게 들린다는 것을 알았다.

이 아이들은 쉬는 시간이면 같이 모여 끊임없이 러시아어로 이야기했다. 여자아이들이 하는 일상적인 수다인데도, 나는 이 아이들이 너무 소란스럽다고 생각했고 뭔가 수업을 방해하고 자기들끼리 뭉쳐 다니는 것 같은 느낌이 들어 마음이 불쾌해지기도 했다. 그래서 자꾸 한국말을 쓰라고 잔소리를 했고, 모여 있으면 다른 아이들하고도 어울리라고 아이들을 떼어 놓았다. 그렇게 몇 달이 지나고 나서 알았다. 내가 공정하지 않았다는 것을.

그 아이들이 쉬는 시간에 모여서 러시아어로 이야기하는 것은 누구에게도 해를 끼치는 일이 아니었다. 그저 내가 모르는 말을 쓰고 있으니, 상황을 통제하고 싶어 하는 내 마음이 불편해진 것뿐이다. 그건 그 아이들이 잘못한 게 아니라 내 문제이다. 이 아이들은 처음에 데리고 온 학교 선생님 말처럼 똑똑했고 열심히 수업에 참여했다. 그래서 1년 과정이 지나고 나서 상을 많이 받았다. 아이들을 좀 더 알게 되자 그들끼리 하는 러시아어도 그다지 시끄럽게 들리지 않았다.

한국식 교육의
힘과 짐

한국 학교에 다니다가 영국 학교로 전학 온 우리 딸들은 금세 두각을 나타냈다. 여긴 과목 교사와 모두 면담할 수 있는 날(Subject evening)이 있다. 애린이를 가르치는 과목 선생님들을 만났다.

"이 아이는 역사학자예요(역사 선생님)." "이 아이는 엄청 특별한 재능을 가지고 있습니다(미술 선생님)." "이 아이는 탁월한 수학자예요. 이렇게 열심히 공부하다가 혹시 아플까 봐 걱정이 되네요(수학 선생님)." "너무 열심히 하고 있어요. 그리고 정말 예의 바른 아이예요(영어 선생님)."

화학 선생님도, 물리 선생님도, ICT 선생님도 모두 칭찬 일색이었다. 한 반에 이런 학생 한 명씩만 있으면 참 좋겠다고 한 선생님도 있었다. 우리 아이는 이곳에서 하늘을 난다.

애린이는 한국에서 특별히 공부를 잘하는 학생은 아니었다. 시험을 보면 80점대 점수가 많았고, 어쩌다가 60점이나 70점대 점수를 받기도 하고, 잘하면 90점대 점수가 나오기도 했다. 한국을 떠나는 날은, 중2 1학기 중간고사가 끝난 다음 날이었다. 마지막 날까지 시험을 보다가 왔다. 어차피 떠날 것이라 그렇게까지 열심히 안 해도 됐는데 중간고사 공부를 정말 열심히 했다. 한국에서 '한 번만이라도' 좋은 성적을 받아 보고 싶다고 했다. 나중에 담임선생님이 시험 결과를 알려 줘서 전화로 이야기해 줬더니 애린이는 무척 기뻐했다. 퀭한 눈으로 새벽까지 공부하더니 성적이 올랐다. 그런데 한 번이어서 다행이다. 그렇게 계속 살 수는 없다.

나는 우리 딸들이 한국에서 배운 가장 중요한 자산은 성실한 태도라고 생각한다. 아이들이 이곳에서 좋은 평가를 받는 것은 한국의 앞선 수학 진도나, 과학 지식 때문만이 아니다. 잘 몰라도 열심히 하는 것, 수업 시간에 집중하는 것, 과제를 성실하게 해 가는 것, 모든 일에 최선을 다하는 것, 그것이 이곳에서 아이들을 돋보이게 만들었다. 그런데 그것은 우리 아이들뿐만 아니라 한국에 있는 대부분의 학생들이 가지고 있는 태도이기도 하다. 다들 주어진 일을 열심히 한다. 공부할 내용을 쪼개서 날마다 학습 계획을 세우고, 과목마다 문제집을 서너 개씩 풀고, 색색 형광펜으로 공책 정리를 열심히 한다. 가족끼리 하는 저녁 식사를 포기하고 학원에서 밤늦게 돌아온다.

●

다들 그렇게 열심히 하는데, 사필귀정(事必歸正), 뭔가 그 성실에 보답이 있어야 할 텐데 늘 그렇지는 않다. 열심히 해도 좋은 성적을 받기가 어렵다. 그래도 '열심히' 한다. 땅을 파라고 하면 열심히 땅을 파고 다시 덮으라고 하면 또 열심히 덮는다. 얼마나 열심히 하는지를 평가한다고 하면 열심히 하는 것을 증명하기 위해 더 열심히 한다. 왜 땅을 파는지, 왜 여기여야 하는지, 왜 다 똑같은 깊이로 똑같은 모양으로 파야 하는지 질문하면 손해다. 그 시간에 다른 아이들은 이미 많이 팠는데, 쓸데없는 생각으로 시간만 버리는 거다.

이건 어른들의 책임이다. 아이들은 그저 주어진 일을 열심히 하는 거다. 이 아이들의 직업윤리(work ethic)는 높이 평가할 만하다. 이런 아이들에게 우리가 하라고 시키는 일이 정말 가치 있는 일인지, 이 아이들이 각자 자신의 능력에 맞게 그 일을 할 수 있도록 잘 도와주는지, 이건 어른들이 답해야 하는 문제이다. 이 아이들이 가진 높은 직업윤리가 아깝다. 그리고 미안하다.

한국의 교육 문제는 너무 복잡해서 한꺼번에 푸는 것은 불가능해 보인다. 사회구조와 얽히고설켜 있어서 교육제도만 개혁한다고 해결될 문제가 아니다. 더욱이 거기에는 자식에 대한 부모의 욕망과 상대가 있는 게임에 따르는 경계와 불신이 아교처럼 붙어 있다. 그야말로 칡과 등나무 줄기가 얽혀 있는 갈등(葛藤)의 형국이다. 물론 나도 답이 없다. 앞뒤 맥락을 생각하지 않으면서 외국 학교는 이렇다고 이야기하는 게 얼마나 답답한지, 동병상련하지 않으면서 멀리서 두는 훈수가 얼마나 짜증 나는지 안다. 그래도 이런저런 이야기를 쓰는 이유는 한국에 있는 우리 아이들의 재능과 가능성, 성실한 태도가 다른 나라 아이들과 견주었을 때 얼마나 훌륭한지 알기 때문이다. 그게 가치 있게 쓰이지 못하는 것이 아까워서 그렇다.

북한 출신 청소년들이 한국에 와서 학교생활을 하면서 당황하는 것 가운데 하나가 시험 방식이다. 북한에는 보기 가운데 답을 고르는 선다형 문제가 없다. 10여 년 전에 들은 이야기이다. 한 아이가 "다음 중 틀린 것을 고르시오" 하는 문제를 보고 이렇게 물었다고 한다.

"아니, 맞는 것을 아는 것도 바쁜데 왜 틀린 것까지 알아야 합니까?"

모든 과목을 선다형 문제로 평가하는 것, 우리에게는 자연스러운 이 관행이 다른 사람 눈에는 이상하게 보일 수 있다.

한국에서 선다형 문제를 선택할 수밖에 없는 이유는 평가의 '객관성' 때문이다. 채점은 공정해야 하고, 답은 분명해서 누가 채점해도 똑같은 점수가 나와야 하는데, 그러려면 보기 가운데 정답을 고르는 게 가장 효율적인 방법이다. 다만 문제를 낼 때, 다르게 생각할 가능성을 주는 애매한 보기가 나와서는 안 된다. 이건 서술형 문제라고 크게 다르지 않다. 답은 하나여야 한다. 부분을 인정해서 점수를 줄 수도 있지만 교사의 주관적 채점이 문제가 되면 복잡해진다. 그래서 조건을 단다. 다섯 글자로 쓰세요, 같은. 학생도 주관적으로 답해서는 안 된다. '내 생각'이 중요한 게 아니다, '답'이 중요한 거다.

애린이와 린아가 이곳 학교에서 보는 시험은 거의 모든 과목이 에세이를 쓰는 것이다. 영어, 역사, 지리 같은 과목은 물론이고 과학이나 수학도 설명이나 과정을 쓴다. 선다형 문제도 가끔 있다. 수학에서 점수가 낮은 문제들이 그렇다. 물론 에세이를 쓸 때도 높은 점수를 받기 위해 알아 두어야 할 평가 기준이 있다. 예를 들면 역사 같은 경우에 두 사료를 읽고 다른 관점의 해석을 비교하라는 문제는 가능하면 많은 논쟁점을 찾아내고 그 근거를 대는 것이 중요하다. 지리 같은 경우는 그래프를 보고 최근 몇 년 동안에 일어난 기후변화와 전망에 대해 논의하라고 하면 그래프가 나타내는 정보를 많이 찾아내서 그것을 추론의 근거로 활용해야 한다. 종이 한 면을 가득 채우며 답을 쓸 때도 있다. 애린이가 한국에서 중1 영어 시험을 볼 때 서술형 문제에서 다섯 단어로 답을 쓰라고 했는데, 일곱 단어로 써서 틀린 적이 있었다. 우리는 서술형 문제도 답을 쓸 때 단어 수를 제한한다.

북한은 선다형 문제는 없지만 한 가지 답이 정해져 있는 단답식

서술형 문제라는 점에서 우리와 크게 다르지 않다. 두 사회의 시험 방식은 각기 다른 이유에서 비슷하다. 자기 생각이 중요하지 않다. 답으로 정해져 있는 것을 말하는 것이 중요하다. 그런데 이제 진지하게 생각해 봐야 하지 않을까? 앞으로도 계속 이렇게 할 것인지, 아이들이 이렇게 배우는 동안 정작 중요한 것을 놓치고 있는 것은 아닌지, 다른 평가 방법을 시도한다면 제도뿐만 아니라 우리 마음도 어떻게 바뀌어야 할지, 그럴 용기가 있는지.

이곳 학교 학생들은 한 학년을 시작할 때 과목마다 1년 동안 이뤄야 할 자기 목표를 갖게 된다. 아이가 지난해에 이룬 결과와 학업 태도들을 고려해서 선생님이 과목마다 목표 점수(Target grade)를 정해 준다. 9점 만점에 어떤 아이는 3점, 어떤 아이는 4점, 어떤 아이는 6점을 자기 목표로 삼는다. 그리고 시험을 볼 때마다 현재 상태는 몇 점이고, 학년 말에 이뤄야 할 목표를 생각해서 지금 잘 하고 있다든지, 노력해야 한다든지 하는 것을 알려 준다. 아이마다 자기에게 맞는 성취 기준이 있는 거다. 거기에 맞춰서 최선을 다하면 된다. 처음에 우리 아이들의 목표 점수는 그다지 높지 않았다. 외국에서 왔고 무얼 할 수 있는지 교사가 충분히 파악하지 못했기 때문이다. 학년 말에는 목표 점수보다 더 좋은 점수를 받았다. 나는 이런 방법이 중도 입국 학생들에게 도움이 된다고 생각했다. 아니 모든 학생들에게 도움이 된다고 생각했다. 각자 자

기가 할 수 있는 목표를 세우고 노력하는 것이다. 물론 그것보다
더 잘할 수도 있다.

한국 학교에서도 이렇게 할 수 있을까? 부모는 내 아이의 목표
점수가 70점이라는 것을 받아들일 수 있을까? 교사에게 "왜 우리
아이의 가능성을 처음부터 낮게 잡느냐"고 항의하지 않고 아이가
60점에서 70점으로 발전하는 것을 응원해 줄 수 있을까? 교사는
아이 하나하나를 주의 깊게 살펴서 전문가의 눈으로 아이에게 맞
는 목표를 제시해 줄 수 있을까? 그리고 아이의 속도에 맞게 격려
하며 가르칠 수 있을까? 아이 교육에 대한 관심과 지원은 한국 학
부모를 따라갈 곳이 없고, 능력 있고 똑똑하기로는 한국의 교사
만 한 사람들이 없을 텐데 우리는 어디서부터 시작하면 좋을까?

중도 입국 청소년. 다른 나라에서 살다가 한국에 온 청소년들에
게 한국의 교육제도는 친절하지 않다. 들어가기도 어렵고, 들어가
서도 어렵다. 낯선 곳에서 용기 내서 뭐든 해 보려 해도 무엇부터
해야 할지 알기가 어렵다. '내가 할 수 있는 게 지금은 여기까지
니까, 여기까지는 잘해 보자'는 자기 목표를 정하기도 어렵고, 아
이들이 겪는 어려움을 제도적으로 뒷받침해 주지도 않는다.

약자에게 민감한 교육 환경은 사실 모든 학생에게 좋은 교육 환
경이다. 그렇지 않은 교육 환경, 최종 승자 몇 명만 보상받는 교육
환경은 약자에게 불리한 것을 넘어서서 대부분의 아이들을 교육

적 약자로 만들어 낸다. 더 비극적인 일은 우리 자신이, 그것 말고는 다른 것을 경험해 보지 못한 우리 자신이, 그 시스템을 가장 아래에서 뒷받침하고 있다는 것이다. 아닌 줄 알면서도 말이다.

우리 딸들은 분명 한국 교육의 혜택을 받은 아이들이다. 그 아이들에게는 한국 교육이 힘이 되었다. 그리고 다행히도 그것이 너무 무거운 짐이 되기 전에 그곳을 떠났다. 중도 입국 청소년, 그들은 힘을 기르지 못한 채 그 짐을 지게 된다. 그리고 그 짐은 한국 학생들에게도 다 무겁다.

사람들이
왔다

에이리언

남편이 한국에서 가지고 있었던 신분증은 외국인등록증(Alien Registration Card)이다. 내가 가진 '주민'등록증과 그가 가진 '외국인'등록증. 외국인은 주민이 아니다. 그래서 내 주민등록등본을 떼면 거긴 나와 아이들만 있었다. 외국인등록증은 영어로 하면 '에이리언' 등록 카드이다. 에이리언이라는 말이 그가 이곳 주민들과 섞일 수 없는 낯설고 이질적인 존재임을 증명해 주는 것 같았다.

신분증에는 그가 어떤 사람인지를 표시할 수도 있고, 그의 권리나 자격을 나타낼 수도 있다. 이를테면 주민등록증이나 외국인등록증은 어떤 사람인지 표시한 것이고, 운전면허증은 자격을 나타낸 것이다. 내가 영국에서 받은 신분증에는 거주 허가(Residence Permit)라고 적혀 있다. 이것도 자격을 나타낸 것이다. 물론 거주 허가를 받는다는 게 내가 국민이 아니라는 뜻이긴 하지만, 그래도 나는 나를 에이리언이라고 표시하는 것보다는 이편이 더 좋다.

　나는 우리가 특별히 외국인을 차별하기 위해서 이런 이름을 붙였다고 생각하지는 않는다. 일본에서도 외국인 신분증을 에이리언 등록 카드라고 하고, 미국에서도 에이리언 등록 번호를 받는다. 이 말이 다른 나라에서도 외국인을 가리키는 행정 용어라 그냥 쓰는 것이다. 이 이야기는 다시 말해서 외국인은 한국에서도, 일본에서도, 미국에서도 에이리언이라는 것이다. 나와 다르고, 낯설고, 심지어 무섭기까지 한.

　지난 10여 년 동안 어학원을 운영하면서 여러 외국 선생님들과 함께 일했다. 캐나다인 T 선생님도 그중 한 명이다. 50대의 중년 남자가 한국에서 영어 강사를 할 때는 그도 뭔가 살면서 우여곡절이 있었을 거다. 그는 명문 대학을 나와 IBM에서 일한 사람답게 명민했고 시야가 넓었고 창의적이었고 또 조직에 헌신적이었다. 학생들과 토론하면서 시나리오를 써서 연극을 만들어 내기도 했고 영어를 쓰면 온라인 안에서 얼마나 많은 소통을 할 수 있는지 보여 주기도 했다. 그는 우리와 두 해를 같이 일했다. 불안 장애와 알코올이 그를 다시 흔들어 놓기 전까지. 누구를 해고하는 것은 언제나 고통스러운 일이다. 그래도 그렇게 할 수밖에 없을 때가 있다. 그는 우리와 일하지 않았는데도 근처에 머무르면서 가끔씩 초췌한 모습으로 길거리에 나타났다. 그럴 때마다 나는 가슴이 조마조마했다.

두어 달이 지난 어느 날 전화 한 통을 받았다. 근처 약국의 약사였다. T 선생님이 약국에서 쓰러져서 병원 응급실에 보냈는데 보호자가 없어서 나한테 연락을 한다고 했다. 그러면서 아무래도 약물중독인 것 같다고 했다. 병원 응급실에 가니 T는 관자놀이에서 피가 흐르고 온몸을 떨고 있었다. 5월이었는데도 겨울 외투를 입고 있었다. 손발은 침대에 묶여 있었다. 의사는 내게 정신과 격리병동이 있는 가까운 대학 병원으로 옮기라고 했다. T는 극도로 불안해했고 내게 "아까 그 약국으로 다시 가야 한다"는 말만 되풀이했다. 병원에서 부른 구급차를 타고 대학 병원으로 가는 내내 그는 "아까 거기로 데려가 달라"고 했다. 대학 병원 응급실에서도 그는 약국에 가야 한다는 말만 했다. 의사가 내게 입원시키겠냐고 물었다. 나는 그의 얼굴에 난 상처만 치료하고 그와 함께 병원을 나왔다. 택시를 타고 다시 약국으로, 처음 그 자리로 돌아왔다.

그가 왜 그렇게 약국으로 돌아가고 싶어 했는지를 알았다. 그는 약을 사러 간 거였다. 처방전을 가지고. 항불안제. 약이 나오기를 기다리며 서성대다 넘어졌고 넘어지면서 안경이 깨져서 피가 났던 거다. 약사는 행색이 이상한 외국인이 눈앞에서 쓰러지자 겁이 났고 그가 환각 상태에 있다고 생각했다. 그다음은 아는 얘기다. 그는 얼마나 불안했을까.

가뜩이나 불안 장애가 있는데 알아듣지 못하는 말을 쓰는 사람들이 자기를 옮기고 손발을 묶고 다시 먼 곳으로 데려갔다. 그는 불안을 잠재워 줄 약이 필요한데 그 약이 있는 곳에서 점점 멀어지고 있었다. 약사는 내게 외국 남자가 이상하게 행동해서 마약을 한 줄 알았다고 말했다.

아무도 그에게 미안하다고 말하지 않았다. 그도 아무런 말을 하지 않았다. 그는 약을 받아 들고 휘청휘청 숙소로 갔다. 화창한 5월 햇살을 등지고 동굴 같은 모텔로 들어가는 키 큰 뒷모습을 본 게 마지막이다. 그 뒤 그를 보지 못했다.

찬드라 이야기가 생각났다. 박찬욱 감독의 단편 영화 〈믿거나 말거나 찬드라의 경우〉를 처음 보았을 때 나는 믿을 수 없어서 "말거나" 편에 서고 싶었다.

찬드라는 네팔에서 온 여성 노동자였다. 1993년 어느 날 동네 분식집에서 라면을 먹었다. 계산을 하려는데 주머니에 돈이 없다는 것을 알았다. 주인은 횡설수설하는 그녀가 무전취식하는 행려 병자라고 생각해서 경찰에 신고했다. 네팔의 구릉족은 생김새가 한국 사람 같고, 말도 한국어 발음과 비슷하다고 한다. 경찰은 그를 정신병원으로 보냈다. 중간에 서울시립부녀보호소로 보냈다가 다시 정신병원으로 이송했다. 그녀는 그곳에서 약물을 쓰는 정신과 치료를 받기 시작했다. 그녀가 한국에 온 네팔 노동자라는 것이 확인되어 병원에서 나온 것은 2000년이다. 그녀는 정신병원에서 6년 4개월을 보냈다. 이 이야기는 영화와 책으로 만들어져 많은 사람들에게 알려졌다(이란주, 《말해요, 찬드라: 불법 대한민국 외국인 이주 노동자의 삶의 이야기》, 삶이보이는창 2003). T의 뒷모습을 보면서 찬드라를 생각했다. 그리고 그 "믿거나 말거나" 이야기를 그제야 믿었다.

계산하려는데 돈이 없는 상황은 누구나 경험할 수 있다. 하지만 누구도 그런 일 때문에 6년이 넘도록 정신병원에 입원하게 되지는 않는다. 약국에 약을 사러 갔다가 넘어져서 다칠 수 있다. 그런데 그렇다고 정신과 격리병동이 있는 대학 병원으로 이송되지는 않는다.

찬드라가 만난 분식집 주인, 경찰, 시립부녀보호소 직원, 정신병원 의사, 그리고 T가 만난 동네 약사, 응급실 의사, 대학 병원 의사는 모두 우리 주변에 있는 평범한 사람들이다. 평범한 사람들의 판단과 행동으로 이들은 모두 '격리'되었다. 말이 안 통해서, 행색이 초라해서, 이상할 것 같아서…… 평범한 사람들이 한 사소한 행동들이 모여서 이들은 '정상적인 주민들'의 무리 밖으로 밀려났다. 네팔에서 온 30대 여성 찬드라, 캐나다에서 온 50대 남성 T, 이들은 모두 등록된 에이리언들이었다. 말이 안 통하는, 낯선, 이상한, 때로는 무서운.

●

We make Korea

2016년 말 현재 한국에 머무르고 있는 외국인은 2백만 명이 조금 넘는다. 국적별로 보면 중국이 절반쯤 되고, 그다음이 베트남, 미국, 태국, 필리핀 순이다(법무부 〈2016 출입국·외국인 정책 통계 연보〉). 5천만 명 인구 가운데 2백만 명이면 그리 높은 비중은 아니다. 하지만 외국인 수는 해마다 많아지고 있어서 우리는 앞으로 그들을 좀 더 자주 만나게 될 것이다.

경기도 이천시 백사면에 우리 식구가 잘 가는 집이 있어서, 한 달에 한두 번씩 그곳에 갔다. 처음에 장을 보러 백사마트에 갔을 때 풍경이 참으로 신기했다. 시골 슈퍼마켓인데 수입 식품 재료가 진열대를 가득 채우고 있었다. 태국, 베트남, 중국 식자재와 음료수, 과자, 냉동식품이 즐비했다. 이런 이국적 음식 재료는 내가 사는 신도시의 대형 마트보다 훨씬 더 많았다. 한국의 전통적인 농촌 마을 가게에서 역설적으로 가장 글로벌한 세계 경제의 한 단면을 본 것 같았다.

그때 나는 그곳에서 장을 보는 외국인을 잠깐 머릿속에 떠올리기는 했지만 그 사람들이 어떻게 살까 궁금하기보다는 이렇게 싼 가격에 태국의 그린카레를 만들어 먹을 수 있다는 사실에 더 좋아했다. 그러고 보니 마트에 여러 번 갔는데도 물건을 사러 온 외국인은 한 번도 본 적이 없었다. 나중에 알았다. 많은 이들이 한 달에 두 번만 농장 밖으로 나올 수 있다는 것을.

백사마트에 태국이나 베트남의 식자재가 많은 것은 농업 노동자들 대부분이 캄보디아, 베트남, 미얀마, 태국 같은 동남아시아 출신이기 때문이다. 인구가 만 명쯤 되는 백사면에 500명이 넘는 이주 노동자가 농장에서 일한다고 한다. 백사마트에서 장을 볼 법한 이들이 사는 비닐하우스의 열악한 환경은 나중에 시사 주간지(김지윤·김형락·전광준 '이주 노동자의 삼시세끼, 여기 사람이 산다고?' 〈시사인〉 제466호, 2016. 8. 24.)를 보고서 알았다.

농업 노동자는 이주 노동자들 가운데서도 가장 열악한 환경에서 일한다. 공장하고 다르게 농장은 고립된 곳에 있고 만나는 사람도 제한적이다. 근로 시간이나 쉬는 날도 잘 지켜지지 않는다. 사는 환경도 열악해서 비닐하우스나 컨테이너가 숙소인 경우도 많다. 여성 노동자의 비율도 30%가 넘는다. 여성 농업 노동자의 67%가 컨테이너나 비닐하우스 같은 가건물에서 지낸다. 공익인

권법재단 공감에서 발표한 '이주 여성 농업 노동자 성폭력 실태 조사'를 보면 2016년 현재 이주 여성 농업 노동자 열 명 가운데 6~7명은 하루 평균 10시간 넘게 일하고 7~8명은 한 달에 두 번 쉬며 여섯 명은 월 130만 원 이하의 급여를 받는다. 여성 노동자 열 명 가운데 한 명은 남녀가 분리되지 않은 침실을 쓰고 2~3명은 침실과 욕실에 잠금 장치가 없는 시설에 있으며 3~4명은 다른 사람의 출입이 통제가 안 되는 곳에서 산다. 설문 조사에서 본인이 성폭력 경험이 있다고 응답한 사람은 12.4%, 다른 이주 여성 농업 노동자들한테서 성폭력 경험을 들은 적이 있다고 답한 사람은 36.2%였다. 그리고 이들 대부분은 의사소통이 어렵고 불이익을 당할지도 모르는 두려움 때문에 성폭력 피해를 다른 사람에게 알리거나 도와 달라고 하지 못했다.

우리는 보통 가게에서 과일이나 채소를 사면서 그걸 기르고 거둔 사람들을 생각하지는 않는다. 대형 마트에서 딸기를 살 때 비닐하우스에서 딸기를 따는 캄보디아 여성 노동자를 떠올리는 사람이 있을까? 말끔하게 포장되어 진열대에 놓여 있는 농산물은 공산품과 마찬가지로 생산과정이 모두 생략된 채 최종 상품만 보인다. 하지만 실제로는 농산물도 공산품도 우리가 장바구니에 넣기까지 많은 사람들의 노동을 거치게 된다. 그 과정에는 외국인 노동자들도 있다. 그들은 보통 가장 열악한 조건에서 가장 힘든 일을 맡는다.

한국에서 일하는 이주 노동자들이 만든 스탑크랙다운(Stop Crackdown) 밴드를 동영상으로 본 적이 있다. 그들의 노래 〈We love Korea〉 가사에는 이런 구절이 있다.

누가 뭐래도 우리는 노동자 / 작업복에도 아름다운 일꾼 / 피땀 흘리면서 당당히 살아간 / 세상을 바꾸는 / 한국을 만드는 노동자 / We make Korea / We make Korea / We make Korea / We love Korea, Korea.

밴드를 소개해 준 아웅틴툰 씨가 그랬다. 우리는 한국을 만든다고, 한국을 움직이는 거의 모든 기계에 우리가 만든 부품이 안 들어간 게 없다고, 엘리베이터에도 에스컬레이터에도 자동차에도 냉장고에도 우리가 만든 부품이 꼭 하나는 들어간다고. 하지만 노래를 듣는데 한국을 만드는 '노동자의 자부심'보다는 '불법 체류자의 자괴감'이 더 짙게 드리워져 있어서 신나게 부르는 노랫소리가 왠지 울부짖는 것처럼 들렸다. 외국인 노동자, 한국을 만드는 사람들. 그 자부심만 남는다면 좋겠다.

인연이 닿은
사람들

삶을 잘게 쪼개면 결국 시간과 공간의 좌표 위에 점으로 표시될 것 같다. 시공간 두 축에 점으로 표시되는 순간들이 무수히 쌓이고 모여서 내 삶을 이룬다. 살면서 누구를 만나는 것은 그 사람의 시공간과 내 시공간이 한 점에서 겹쳐졌기 때문이다. 그걸 인연이라고 하자. 외국에서 태어나서 자란 사람과 한국에서 자란 내가 세상 어디선가 만나는 것은 그리 흔한 인연은 아닌 듯하다. 나와 남편도 그렇게 만났다. 우리는 같은 해 봄에 태어났지만 나는 한국에서 자랐고 그는 영국과 호주에서 자랐다. 두 사람이 30년쯤 뒤에 일본의 한 공간에서 같은 시간에 있을 확률은 매우 희박하다. 인연이라서, 만나게 될 일이라서 그렇게 되었나 보다. 나는 지금까지 한국에서 제법 많은 외국인을 만났다. 어쩌다가 삶의 한 시절을 한국에서 보내게 된 사람들, 인연이 닿아서 그들은 내 삶에도 흔적을 남겼다.

엘렌은 미국에서 태어났다. 그녀는 대학을 졸업하고 선교사로 일하고 싶었다. 미국 감리교 본부에 선교사로 파견 보내 달라고 했더니 아프가니스탄과 한국 중에서 선택하라고 했단다. 그래서 2006년에 한국에 왔다. 충청도에 있는 한 교회로 가게 되었다. 선교사로 온 그녀는 교회 부설 유치원에서 원어민 교사로 일하게 되었다. 봉사라는 이름으로 정당한 급여도 의료보험도 없이 전일제 영어 교사가 되었다. 그곳은 폐쇄적이고 고립된 곳이었던 것 같다. 그녀는 한국 불교에도 관심이 많아서 부처님 오신 날에 가까운 절에 가 보고 싶었다. 하지만 목사님은 불교는 사탄이라며 못 가게 했다. 일터에서도 숙소에서도 마을에서도 자유롭지 못했다. 결국 그녀는 그곳에 오래 있지 못했다. 그리고 찾아온 곳이 우리 학원이었다. 우리는 선교사가 아니라 영어 교사를 찾고 있었고, 그녀는 좋은 선생님이었다. 학생들을 진심으로 대했고, 새로운 것을 경험하도록 도와주었고 늘 친절했다.

2007년 12월 태안에서 허베이 스피리트 유조선에서 기름이 흘러나온 사고가 일어났을 때 엘렌은 태안에 가서 기름을 닦아 내는 자원봉사를 하고 싶어 했다. 주말에 내려가겠다고 하는데 혼자 보낼 수가 없었다. 우리나라에서 일어난 일에 미국인 교사가 가서 돕겠다는데 그냥 잘 갔다 오라고 말하는 게 미안했다. 환경운동연합의 자원봉사단에 등록해서 같이 갔다. 가는 차 안에서 물었다. 한국에서 일어난 일인데 외국인이 이 추운 날 거긴 왜 가고 싶냐고. 그녀의 대답은 간단했다. 책임을 느낀단다. 자기가 석유 에너지를 쓰는 한 원유 유출 사고에 대한 자기 몫의 책임을 피할 수 없지 않느냐고 했다.

정치적으로 올바른 세계시민을 곁에 둔 덕분에 나도 방재복을 입고 하루 종일 기름 묻은 돌을 닦았다. 자원봉사로 온 사람들이 정말 많았다. 그날 바닷가를 하얗게 메운 사람들을 보며 나는 방재복과 흡착포, 점심 도시락을 준비하는 데도 엄청난 비용이 들었겠다는 생각을 했다. 조약돌 몇 개 닦은 나의 기여보다 내게 들어간 비용이 더 비싸겠다는 걱정도 들었다. 그래도 사람이 많으니 축제 같았다. 가길 잘했다. 뿌듯했다. 그녀 덕분에 나는 국가의 재난에 눈감지 않는 대한민국 국민이 되었고 동시에 그것을 넘어 에너지와 환경 문제에 책임을 갖는 세계시민이 되었다. 나는 지금도 지구 어디에선가 유조선 사고가 났다고 하면 기름을 쓰는 한 그것이 남의 일이 아니라고 이야기한 그녀가 생각난다.

그녀는 몇 해 동안 한국에 살다가 미국으로 돌아가서 종교학과 박사 과정 공부를 하고 있다. 떠나기 전에 물었다. 한국에 선교사로 왔는데, 네게 선교는 무엇이냐고. 나는 엘렌이 기독교에 대해 이야기하는 것을 한 번도 보지 못해서, 그녀가 처음에 선교사로 한국에 왔다는 사실도 종종 잊었다. 그녀는 다른 종교에도 개방적이었고 나중에 스님 친구도 생겼다. 그녀의 답은 이랬다. 삶에서 사랑을 실천하면서 사는 것이 선교인 것 같다고, 하느님은 사랑이기 때문에 그렇다고. 지금까지 많은 기독교인을 만나 보았지만, 나는 지금도 크리스천이라고 하면 엘렌이 생각난다. 돌이켜 보니 그녀는 자신이 선교사로 왔다는 것을 한 번도 잊지 않았던 것 같다. 우리와 같이 있을 때도.

A는 러시아 사람이고 나는 그에게서 첼로를 배웠다(그의 이름을 밝히고 싶지만 그가 꺼렸다. 예술흥행비자로 머물고 있는 그가 나를 가르치는 것은 불법이다). 그는 대학에서 첼로를 전공했다. 소련이 무너진 뒤에 예술가들이 일자리를 찾는 것은 너무나 어려웠다고 한다. 서울에 있는 오케스트라에 자리가 생겨 오래전에 한국에 왔다. 나는 첼로 음악을 좋아한다. 그래도 배울 엄두를 내지는 못했다. 현악기는 왠지 어릴 때부터 배워야 될 것 같았다. 쉰에 첼로를 시작한 선배에게 "나도 다시 태어나면 첼로를 배우고 싶다"고 했더니 그녀는 "첼로를 배우려고 굳이 다시 태어나지 않아도 된다"고 했다. 맞다. 그래서 살아생전에 하기로 했다. 마흔일곱에 첼로를 처음 만졌다. 한국인 선생님에게 몇 달을 배우다가 선생님한테 사정이 생겨서 그만두게 되었다. 그래서 새 선생님을 찾고 있는 중이었다. 그때, 또 우연히, 그의 시공간과 내 시공간이 마주쳐서 이 러시안 첼리스트를 만났다. 나는 지금까지 한국에서만 학교를 다녀서 외국인 선생님한테서 뭘 배워 본 적이 없었다. 그래서인지 그가 가르치는 게 다 새롭고 신기했다.

•

어깨에 힘을 빼는 것은 몸으로 하는 모든 일에 기본이 되나 보다. 처음에 만났던 최 선생님은 그 점을 늘 강조했다. 어깨에 힘을 빼라고. 거울을 앞에 두고 어깨의 각도를 확인해 보라고도 했고, 각도를 잘 볼 수 있게 어깨에 연필을 올려놓으라고도 했다. 활을 들 때마다 생각했다.

'어깨에 힘이 들어갔나? 각도가 맞나? 어깨가 너무 올라갔나?'

어깨에 신경을 쓰면 쓸수록 힘은 더 들어갔고 팔은 뻣뻣해졌다. 그런데 A는 어깨에 힘을 빼라는 이야기를 한 번도 하지 않았다. 대신 이런 이야기를 했다.

"실수하는 건 괜찮아요. 하지만 두려워하는 건 안 돼요(Mistake is OK, but fear is not OK.)."

"거칠게 연주해도 돼요. 소리를 안 내는 게 가장 나쁜 소리예요 (You can play rough and rude. No sound is a bad sound.)."

그는 계속 겁먹지 말라는 이야기만 했다. 소리를 너무 예쁘게 내려고 하지 말고 처음에는 거칠게 해도 된다고 했다. 보석을 캐려면 흙까지 다 같이 따라오는 게 당연하다고, 일단 캐야 그다음에 다듬지 않겠냐고 했다. 선생님이 자꾸자꾸 괜찮다고 하니 마음이 점점 편해졌다. 마음이 편해지자 거울을 보고 각도를 확인하지 않아도 어깨 힘이 빠지는 것 같았다.

음악이 '노는 것'이라는 것을 알았다. 매사에 지나치게 진지하고 열심인 내게 어느 날 그가 말했다. "음악을 노세요. 일하지 말고(Play the music, Don't work.)," 맞다. 영어로 음악을 '연주하다'는 음악을 '놀다(play)'이다. 지금까지 나는 무엇을 배울 때 즐기는 것보다는 열심히 해서 빨리 익히려고 했다. 나는 중·고등학교 때부터 늘 주어진 과업에 충실한 학생이었다. 그래서 좋아하는 것을 배우면서도 일처럼 여겼나 보다. 스즈키 첼로 교본 1권, 2권, 3권을 성실히 연습해서 차례로 끝내는 게 중요했다.

영국으로 다시 가기로 결정하고 이제 레슨 받을 날도 얼마 안 남았을 때였다. 그는 진짜 음악(Real music)을 같이 해 보자며 비발디의 〈두 대의 첼로를 위한 협주곡〉을 제안했다. 그건 내 실력으로 도저히 할 수 없는 곡이다. 겨우 3권을 끝냈는데 그 곡은 6권에 나온다. 차근차근 단계를 밟아 가야 하는 내 철학에는 안 맞지만 그래도 선생님이 하자고 하니 믿고 따르기로 했다. 손가락 번호를 적어 가면서 겨우 익혔다. '삑' 소리가 나고 박자를 놓쳐도 끝까지 할 수는 있게 되었다. 떠나기 전에 같이 연주하면서 음악을 노는 게 어떤 것인지 살짝 맛볼 수 있었다. 소리는 거칠고 정신은 없었지만 아주 잠깐씩 '진짜 음악'이 들리는 것 같았다.

떠나면서 그에게 앞으로 계속 한국에서 살 거냐고 물어봤다. 그는 그럴 거라고 했다. 러시아로 다시 돌아가지는 않을 거라고, 여긴 일자리가 있다고 했다. 한국 생활이 어떠냐고 물어봤더니 바쁘다고 했다. 그리곤 덧붙였다. 여기서 사는 것은 바쁜데 그게 행복한 것인지는 잘 모르겠다고.

한국살이

한양대학교 글로벌다문화연구원에서 〈인문 도시〉 프로젝트를 하면서 '삶과 경계, 문화 간 이해'라는 주제로 작은 학술 토론회를 한 적이 있다. 다른 문화의 경계를 넘어 살아 본 사람들의 이야기를 듣는 소박하고 편안한 자리였다. 자서전 쓰기를 같이했던 이주 여성들도 초대했다.

우리가 이야기를 나눈 주제 가운데 하나는 '한국에 살면서 문화적 차이를 느끼는 것이 무엇인지'였다. 결혼 이주 여성들의 생각이 궁금해서 이 이야기를 나누고 싶었다. 이들이 한국 문화에 적응할 수 있게 돕는 교육 프로그램, 예를 들어 한국어를 배우거나 한국 음식(특히 김치)을 만들어 보는 강좌들이 많은데 정작 이들이 경험하는 문화적 차이가 무엇인지 직접 들어 본 적은 별로 없는 것 같았다. 그들의 목소리가 듣고 싶었다. 그녀들이 한국에서 느끼는 문화적 차이라고 이야기해 준 것은 이런 것들이었다.

인도네시아에서는 가족이나 친척하고 늘 가깝게 지냈어요. 어려운 일이 있으면 무조건 도와주었어요. 그런데 한국에서는 친척들끼리 가깝지 않은 것 같아요. 그리고 가족끼리도 밥 한번 같이 먹기 힘들어요. 아이들은 학원에 갔다가 늦게 오고, 남편은 늦게 퇴근하고. 집에서 혼자 저녁을 먹을 때는 '가족이 뭔가……' 하는 생각이 들어요. 또 애들은 공부하느라 바쁜데 꿈이 뭐냐고 물어보면 모르겠대요. 하고 싶은 일이 없는데 왜 이렇게 공부해야 할까 하는 생각이 들어요.

나는 영국에 온 뒤에 이 말이 가끔씩 생각났다. 식구들이 같이 저녁 먹는 것. 그게 한국에서는 주말에나 할 수 있는 특별한 일이었다. 중·고등학생은 편의점 도시락이나 삼각김밥으로 저녁을 때우고 직장인은 야근이나 회식이 잦다. 우리는 각자 너무 바빴다.

지금 우리 식구는 날마다 저녁을 같이 먹는다. 별 얘기 안 해도 그냥 하루를 같이 마무리하는 기분이다. 여기서는 다들 그렇게 사는 것 같다. 저녁에는 사람들이 대부분 집에 있다. 6시쯤 되면 벌써 거리도 한산하다. 인도네시아와 한국의 문화적 차이, 이것은 영국과 한국의 문화적 차이이기도 하다. 어쩌면 세계 대부분의 나라와 한국의 문화적 차이일 수도 있다. 우리한테는 익숙하고 외국인한테는 낯선 한국의 문화, 한국에서는 모두가 바쁘다.

각자 너무 바쁘면 관계에서 '관심'은 사라지고, '관리'만 남는다. 내가 한국교육개발원에 취직한 해에 애린이도 초등학교에 입학

했다. 북한 출신 청소년의 학교 적응을 돕느라고 나는 초등학교 1학년인 우리 딸에게 원형 탈모가 생겼는지도 몰랐다. 무슨 세상을 구하겠다고 나는 정작 내 아이가 학교에 잘 적응하는지 어떤지 살피지 못했다.

수학 문제에서 틀린 것을 정리해 가는 게 숙제인데 하필 틀린 것이 정사각형을 그리는 것이었다. 모눈종이 없이 아이 혼자 삐뚤삐뚤 정사각형을 그리니 정사각형 꼴이 안 나왔다. 10시에 퇴근해서 숙제 관리를 하다가 그걸 봤다. 눈금자를 써서 모눈종이를 그려 주었다. 침침한 내 눈에도 간격이 고르지 않았다. 애린이가 그린 거나 내가 그린 거나 정사각형이 아니기는 마찬가지였다. 길게 한숨을 쉬고 컴퓨터로 모눈종이를 뽑아 줬다. 그걸 받아든 여덟 살 애린이. 더 깊은 한숨을 쉬고 이렇게 말했다.

"이럴 거면 이것 좀 일찍 주지 그랬어?"

이미 11시가 넘었고 우리는 너무 피곤했다.

"지금이라도 생각나서 해 줬잖아! 일부러 안 한 것도 아닌데 왜 그렇게 짜증을 내?"

잠시 침묵. 울먹이면서 애린이가 이렇게 말했다.

"엄마, 우린 바구니를 안고 시소를 타고 있는 것 같아. 내 바구니가 무거워서 엄마한테 그 안에 있는 물건을 던지면 엄마 게 무거워지고, 그러면 또 엄마는 나한테 그걸 던져서 내 게 무거워지고……."

이 말에 내가 먼저 무너졌다. 애린이를 안고 우린 그 밤에 바구니를 부숴 버렸다.

우리는 너무 바빴다. 다들 자기 나름으로 이유가 있어 바쁠 거다. 그런데 이 이유가 다른 세상의 눈으로 보면 낯설고 이상하다.

베트남에서는 보통 한곳에 오래 살아요. 땅에 집을 짓고 살다가 가족이 늘어나면 조금씩 늘리면서 살았어요. 한국에 오니까 아파트에 사는데 이사도 많이 하고 조금씩 넓은 평수로 가려고 하니까 은행 빚도 많이 져요. 남편은 이 정도는 살아야 한다고 대출받아서 아파트를 샀는데, 빚 갚느라고 월급 받으면 다 은행에 갖다 줘야 해요. 번 돈을 은행에 다 갖다 주는 게 너무 아까워요. 나는 그냥 형편에 맞게 살면 좋겠어요.

이런 삶의 고단함은 우리도 다 아는 얘기이다. 베트남도 도시는 다를 거다. 베트남의 농촌에서 한국의 도시로 시집온 거니까 이걸 베트남과 한국의 문화 차이라고 말하기 어려울 수도 있다. 또 이게 고단하다고 전통적인 생활 방식으로 돌아갈 수도 없다. 그렇지만 다른 세상에서 살다 온 사람들이 낯선 눈으로 우리 사는 모습을 보고 이야기해 줄 때 문득 나를 돌아보게 된다. 다시 하게 되는 질문. 계속 이렇게 살아야 할까?

그리고 시어머니 얘기가 나왔다. 문화 차이를 이야기하고 있었는지, 아니면 한국 생활에서 어려운 점이 무엇인지 이야기하고 있었는지는 잘 모르겠다. 시어머니 얘기가 나오면 한국 시어머니를 둔 사람들은 모두 격하게 공감한다. 캄보디아에서 온 A 씨가 시어머니 얘기를 하자 청중을 포함해 토론회에 모인 결혼한 여성들은 다들 고개를 크게 끄덕였다.

우리 시어머니는 좋은 분이신데요, 자꾸 저를 야단치세요. 저도 바보가 아니니까 가르쳐 주면 배울 수 있는데 가르쳐 주지 않고 모른다고 야단치시니까 속상해요.

가르쳐 주지 않고 야단친단다. 시어머니는 왜 그랬을까? '어련히 알아서 하길' 바라는 걸까? 살았던 풍습이 다른데 어떻게 어련히 알 수 있을까? 중요한 것은 가르쳐 주고 아니면 그냥 믿어 주면 좋을 텐데. 시어머니가 야단치면 정말 속상할 것 같다.

우리 시어머니는 그렇지 않았다. 쉴라 뱅크스(Shelagh Banks), 그분은 나를 언제나 같은 '여성'으로, 매 순간 고민하며 아이를 키우는 같은 '어머니'로, 행복하기를 바라는 한 '개인'으로 봐 주었다. 그분은 나를 가르치려고 하지도 않았다. 내가 물어보면 친절하게 알려 주긴 했지만 그게 다였다. 그 대신 내가 한 일들을 재미있게 들어 주었고 격려해 주었다. 그분은 내가 어떤 일에 망설이거나 겁먹을 때마다 "물론 할 수 있고말고!(Of course, you can!)" 이렇게 말해 줬다. 그것도 꼭 세 번씩 반복해서. 가르쳐 주지 않고 야단치는 A 씨 시어머니 이야기를 들으며 나는 그해에 돌아가신 우리 시어머니가 생각나서 가슴이 묵직해졌다.

　가르쳐 주지 않고 야단치는 것, 시어머니들만 그러는 게 아니다. 사실 많은 이들이 그 비슷하게 행동한다. 내가 알고 있는 것을 상대가 알고 있으리라고 생각하기 때문에 우리는 '알고도 안 하는' 상대를 야단치게 된다. 그런데 가르쳐 주지 않으면 정말 모를 수가 있다. 특히 다른 문화권에서 온 경우는 그렇다.

　미얀마에서 온 아웅틴툰 씨는 사장님과 부장님 앞에서는 늘 팔짱을 꼈다. 미얀마에서는 그게 윗사람에게 하는 공손한 태도였다. 그는 그게 영국의 식민지 시절에 생긴 전통이라고, "내가 당신을 공격하지 않습니다. 나는 무기가 없습니다"는 표시라고 했다. (사진을 한 장 보여 주었는데 미얀마의 초등학생들이 선생님 앞에서 다들 팔짱을 끼고 있었다.) 그래서 그도 그렇게 했다. 그런데 한국인 사장님과 부장님은 그렇게 생각하지 않았다. 한국에서는 어른 앞에서 팔짱끼고 있는 것이 거만해 보이는 행동이어서 이분들은 그가 건방지다고 생각했다. 더 나아가서 '동남아 애들은 싸가지가 없다'고 생각했다.

　그는 사람들이 자신을 어떻게 생각했는지 2~3년이 지난 뒤에야 알게 되었다. 팔짱 끼는 게 이곳에서는 어떤 의미인지 우연히 알게 되었다. 그는 이렇게 말했다.

●

"왜 아무도 얘기해 주지 않았는지 모르겠어요."

우리는 많은 경우에 어떤 사람이 왜 그렇게 행동했는지를 알아보려고 하지 않는다. 그 대신 그냥 내 기준으로 짐작하고 그의 됨됨이를 판단해 버린다.

나는 아웅틴툰 씨도 이 오해에 책임이 있다고 생각한다. 그는 물어봤어야 했다. 자신의 행동이 이곳 문화에서 뭔가 부적절한 것은 아닌지 되짚어 보며 살폈어야 했다. 그런데 그도 그렇게 하지 않았다. 손짓 같은 몸의 언어는 문화적으로 민감하다. 그래서 외국에서는 가능하면 손짓이나 몸짓을 삼가는 게 좋다. 우리 문화에서는 당연한 것이 다른 문화에서는 다르게 해석될 수 있다는 것을 늘 염두에 두고 있는 게 좋다. 그도 알아보려 하지 않고 판단했을지도 모른다. 한국 사람들은 외국인 노동자를 무시한다고.

사람들이 왔다

얼마 전에 옥스팜(Oxfam) 중고 서점에서 첼로 악보를 몇 권 샀다. 계산대에서 자원봉사자로 보이는 눈빛 맑은 여성이 물었다.

"음악을 연주하세요? 아님 가르치세요?"

지금까지 한 번도 이런 질문을 받아 본 적이 없었다. 내가 누군지, 뭘 하는 사람인지 물어보는 질문. 길에서 만나는 낯선 사람하고 나누는 대화는 주로 안녕하시냐, 좋은 하루 보내시라는 인사말이다. 아니면 어디서 왔냐, 코리아에서 왔다, 남쪽이냐 북쪽이냐, 남쪽이다, 뭐 이런 정도였다. 누구에게나 하는 인사말 아니면 내 생김새를 보고 묻는 질문들. 그런데 그녀는 내게 음악을 연주하느냐고 물었다. 심지어 가르치느냐고 물었다. 물론 뜬금없는 질문은 아니다. 내가 악보를 샀으니까. 그래도 기분이 좀 특별해졌다. "아, 연주해요"라고 말하는데 뭔가 등이 꼿꼿해지고 목이 길어지는 느낌이었다. 그 순간 '내 자신'이 된 것 같은 느낌이 들었다. 서점을 나오면서 이런 작은 일에 감동하고 있는 나한테 슬쩍 웃음이 나왔다. 그리고 이런 생각을 했다.

'그때 안산에 사는 어떤 사람이 말했다는 존중받는 느낌이라는 게 이런 거였나 보다.'

안산에는 외국인이 모국어로 된 책을 읽을 수 있는 도서관이 있다. 안산 다문화작은도서관과 안산 모두어린이작은도서관이다. 두 도서관 모두 한양대학교 글로벌다문화연구원이 위탁 운영하고 있다. 여기엔 한국 책뿐만 아니라 중국, 일본, 캄보디아, 베트남, 필리핀, 몽골, 인도네시아, 러시아, 우즈베키스탄 같은 나라에서 출판된 책들이 있다. 외국인 주민 센터 지하에 있는 안산다문화작은도서관을 찾는 이들은 주로 안산 원곡동에 살고 있는 외국인 노동자들이다.

하루는 한 젊은이가 사서에게 이렇게 말했다고 한다.

"이곳에 오니까 존중받는군요……."

그는 한국에 살면서 외국인 노동자가 아닌 다른 존재인 적이 없었다. 그런데 도서관에 오니 책을 읽기 위해 도서관을 이용하는 사람이었다. 사서는 그가 읽는 책에 관심을 가져 주었고 그가 신청한 책을 구하려고 노력했다. 그에게 어떻게 지내는지 물어봐 줬고 도움이 될 만한 지역 정보를 알려 줬다. 그곳에서 그는 외국인 노동자가 아니라 그냥 주민이었고, 이용객이었다. 단지 그뿐이었는데 그는 존중받는다고 느꼈다. 자기 자신으로 봐 주었기 때문에.

•

나는 한국에서 다문화 교육 교사 연수를 할 때마다 선생님들과 함께 EBS의 〈지식채널e〉 '사람들이 왔다(2010년 5월 10일 방영)'를 봤다. 4분 30초짜리 이 동영상만큼 외국인 노동자 문제를 잘 다룬 것을 찾아보기 힘들다. 시작하고 2분도 안 돼서, 우리는 처지와 관점이 바뀌면 우리 마음이 어떻게 변하는지를 한순간에 경험하게 된다. 그 짧은 순간의 각성이 귀해서 나는 이 동영상을 보고 또 봤다. 그리고 여기에는 국적과 시대를 뛰어넘는 '연대'가 얼마나 감동을 주는지, 사람을 기능이나 역할이 아니라 '존재'로 본다는 것이 무엇인지도 담겨 있다. 음악도 좋다.

이 짧은 동영상은 누군가의 말을 인용하며 이렇게 끝난다.

"(우리는) 노동력을 원했지만, 노동력이 아니라 사람들이 왔다."

원문을 찾아봤다. 막스 프리슈(Max Frisch)라는 작가가 한 말이란다.

"We wanted a labour force but human beings came."

사람들, 그의 과거와 현재의 삶이 다 축적되어 있는, 이성과 감정을 지닌 사람들이 왔다. 한국에 와 있는 외국인. 그들은 노동력이 아니라 사람이고, 에이리언(Aliens)이 아니라 휴먼(Human beings)이다. 나와 크게 다르지 않은.

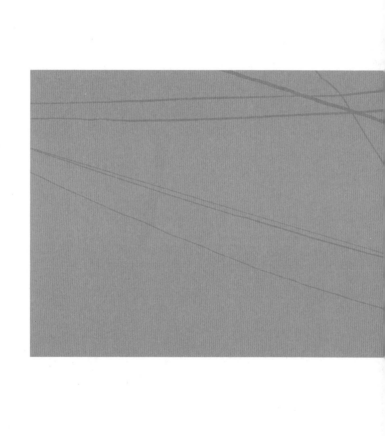

그에게도
고향이 있다

영국으로 오기 전에 원고 청탁을 받았다. 계간 〈창작과비평〉에 '소수자의 눈으로 본 한국 사회' 시리즈 가운데 북한 출신 주민에 관한 글을 써 달라고 했다. 나는 그동안 만났던 북한 출신 주민들이 한국에서 어떻게 사는지 생생하게 전해 주고 싶었고, 독자들이 그들의 마음을 자기 이야기처럼 읽어 주길 바랐다. 그래서 다음 네 개의 에피소드로 글을 시작했다.

◇

　누구도 나에게 뭐라 하지 않는데도 밖에 나가면 괜히 위축된다. 그래서 동네 슈퍼마켓에 가면서도 가볍게 화장을 하고 향수도 조금 뿌린다. 이곳에 온 뒤 식구들 모두 몸무게가 줄었다. 혹시 몰라 약국에 구충제를 사러 갔다. 진열대에 약이 많은데 구충제를 찾기가 어려웠다. 점원에게 물어보면 되련만 입이 안 떨어졌다. 사람들이 어떻게 생각할까 걱정이 되었다. 그래서 그냥 돌아왔다. 가끔씩 괜히 마음이 쪼그라질 때가 있다. 나는 이곳이 아직 낯설고, 나를 바라보든 그러지 않든 다른 사람들의 눈을 의식하게 된다.

딸들이 학교 갔다 집으로 돌아오면 잠들 때까지 우리말로 끊임없이 이야기한다. 우리 노래를 부르고 우리글을 읽고, 저녁은 우리 음식을 먹는다. 아이들보다 뒤늦게 이곳에 온 나는 아이들이 여기 생활에 잘 적응해 있기를 바랐다. 친구도 사귀고, 학교 공부도 잘 따라가고, 여기 음식도 잘 먹고, 여기 사람들과 말도 잘하기를 기대했다. 그런데 아이들은 친구가 없었고, 우리 음식을 먹고 싶어 했고, 꼭 필요한 때가 아니면 집 밖에 나가고 싶어 하지 않았다. 나는 내심 걱정하면서 오늘도 아이들과 우리 음악을 듣고, 우리 음식을 만들어 먹는다.

◇◇◇

나는 동네 슈퍼마켓에서 작은 것도 신용카드로 산다. 내 이름 석 자를 서명하는 그 순간이 좋기 때문이다. 이름을 쓰는 순간, 내 앞에 있는 점원에게 이렇게 말하는 기분이 든다.

'당신이 보고 있는 내가 나의 전부가 아니랍니다. 나는 이곳에 오기 전에 당신이 모르는 많은 경험을 했고, 지금은 내 삶의 한순간일 뿐입니다. 나는 당신이 지금 보고 있는 것보다 큽니다.'

그렇게 우리말로 내 이름을 쓰고 나면 장바구니를 든 손에 힘이 생기고 발걸음이 당당해진다.

내 나라에서 벌어진 참담한 인권 침해에 대해 쓴 글을 뒤늦게 읽었다. 무고하게 죽은 생명, 충분히 애도 받지 못한 젊은 영혼들이 생각나 마음이 무거웠다. 집을 나와 거리를 걸었다. 눈부신 햇살 아래 저마다 살고 있는 이곳 사람들은 삶이 얼마나 비통한지 아무것도 모른 채 풍요롭고 여유 있게 사는 것 같았다. 내가 이곳에 속해 있지 않다는 느낌이 들었다. 이 사람들과 나는 함께 기억할 만한 어떤 일도 공유하고 있지 않다는 것을, 그리고 나는 이 사람들이 즐기는 풍요와 여유에 기여한 바가 없다는 것을 깨달았다. 그러자 이 사회가 멋있긴 하지만 내 것은 아닌 것 같았다.

네 개의 짧은 글을 소개한 뒤에 이렇게 썼다.

나는 지난여름에 영국의 작은 바닷가 도시로 이주해 왔다. 남편과 아이들이 두 달 전에 먼저 와 있었고, 나는 한국에서 하던 일과 집을 정리하고 합류했다. 2002년에 런던에서 산 적이 있다. 그때 남편의 고향인 이곳에서 잘 정착할 수 있을 거라고 믿었는데 생각보다 쉽지 않았다. 겨우 2년 만에 두 딸을 유모차에 태우고 영국을 떠났다. 한국에서 우리는 나름 열심히 살았다. 무엇보다도 아이들은, 비록 학교에서는 다문화 학생으로 불렸지만 한국 아이로 잘 자라 주었다. 한국에서 나는 내내 북한 출신 청소년과 다문화 청소년의 교육과 사회 적응을 돕는 일을 했다. 한국에서는 다른 문화에서 살다가 이주해 온 사람들을 다양한 이름으로 분류하고 구별 짓는다. 이제 나와 아이들은 한국에서 쓰는 정책 용어로 말하자면, 결혼 이주 여성과 중도 입국 청소년이 되어 남편과 아버지의 나라로 이주해 왔다. 그러자 지금까지 한국에서 내가 '그들을 위해' 했던 일들이 '그들의 처지에서' 다시 보이기 시작했다.

맞다. 글 첫머리의 인용문은 내 이야기다. 글이 잡지에 실린 뒤에 사람들은 이게 북한 출신 주민 이야기인 줄 알았다는 말을 많이 해 주었다. 사실 그렇게 생각했으면 싶어서 일부러 주어를 생략했다. 한국에 사는 북한 출신 주민 이야기와 영국에 사는 내 이야기가 그리 다르지 않다는 것을 보여 주고 싶었다. 그들과 내 경험의 교집합에는 낯선 곳에서 사는 이주민이 겪는 긴장과 두려움, 소속되지 못하는 외로움이 있었다. 그리고 그들과 내게 공통으로 영향을 미치는 한국 사회의 그림자가 있었다. 영국에 사는 나를 자유롭지 못하게 하는 내 안에 새겨진 한국 사회, 그것은 북한 출신 주민이 매일매일 살아가는 한국 사회이기도 하다.

그래서 그들의 이야기와 내 이야기를 두 축으로 해서 앞에 인용한 네 개 일화를 네 개의 이야기로 엮었다. 우리 자신의 삶과 우리 사회의 한 단면을 돌아보게 되면 좋겠다고 생각하고 썼다. 다음은 계간 〈창작과비평〉에 실린 글이다.

첫 번째 이야기-시선

내가 다른 사람들 시선에 움츠러들 때 그건 실제로 타인이 나를 그렇게 보고 있기 때문일까, 아니면 타인이 나를 그렇게 볼 것이라고 내가 생각하기 때문일까? 이 점이 궁금해졌다. 왜냐하면 여기선 아무도 나를 쳐다보고 있지 않다는 것을 어느 날 깨달았기 때문이다. 그래서 그 막연한 타인이 누구인지 그 시선은 혹시 내가 만들어 낸 것이나 내 안에서 증폭시킨 것은 아닌지 의심이 들었다.

실제로 여기 사람들은 다른 사람들한테 그다지 관심이 없어 보인다. 길거리에는 오만 가지 특이한 복장과 행동을 하는 사람들이 있지만 자신에게 해를 끼치지 않으면 불편한 눈길로 쳐다보지 않는다. 온몸에 문신을 한 사람, 짧은 치마에 깃털 모자를 쓴 할머니, 스키니진을 입은 게이 커플, 공원에 누워 입 맞추는 연인……
피부색과 생김새가 다른 수많은 종족이 거리를 공유하고 있다.

·

한국에서는 뒤돌아보거나 조롱하거나 혀를 끌끌 차는 사람이 있을 법한데, 그들이 아무렇지도 않게 거리를 활보하는 모습이 얼마 지나지 않아 묘한 편안함을 주었다. 그 편안함이 내게 일으킨 소심한 변화는 한여름 내내 민소매 옷과 반바지를 입고 길거리로 나가는 것이었다. 그건 한국에서 해 보지 못한 일이었다. 내 나이에, 내 몸매에 그렇게 입으면 사람들이 민폐라고 여길 것 같았다. 옷 입는 게 대체 뭐라고, 한국에 있을 때는 그게 그리도 어려운 일이었다. 한 번도 햇빛을 보지 못했던 어깨가 검게 그을렸다. 사소한 자유가 내 몸의 긴장을 풀어지게 했다.

그러면서 혐의가 짙어졌다. 내가 이곳에 와서 느낀 타인의 시선은 실제 이곳 사람들이 아시아인을 바라보는 시선이라기보다는 오랫동안 한국 사회에 살면서 학습한, 그래서 결국 이곳까지 가져온 내 마음속에 있는 타인의 렌즈일지 모른다는. 그 렌즈가 내 위축감을 계속 키웠을 수 있다는 것을. 한국 사회는 끊임없이 다른 사람의 시선에 민감하도록 가르쳤고, 나는 그것이 내 생각인 양 성실하게 받아들였던 것 같다. 다른 사람의 시선에 맞추면서 다수에 속해 있다는 안도감을 느끼는 동안 정작 '나'는 점점 위축되고 있었다.

남편은 이곳에서 어학연수를 온 여러 나라 학생들에게 영어를 가르치는 일을 한다. 유럽, 남미, 중동에서 온 젊은 학생들을 가르치면서 지난 12년 동안 가르쳤던 한국 학생들이 얼마나 겸손하고 성실했는지를 새삼 깨닫는단다. 열심히 안 한다고 불평했던 예체능대 학생들에게 미안한 마음이 든다고, 한국에 오래 살면서 성실함의 기준이 너무 높아진 것 같다고 반성한다. 그러곤 한국 사람들은 좀 더 자신감을 가졌으면 좋겠다고 한다. 중학교에 다니는 우리 아이들도 한국에서는 전혀 뽐낼 일이 아닌데, 여기 아이들은 엄청 자랑한다고 말한다.

그러고 보면 우리는 내가 한 작은 성취를 충분히 자랑하거나 축하하기도 전에 다음 목표를 세우고, 까마득한 결승점 앞에서 다시 작아지는 경험을 너무 오랫동안 되풀이한 것 같다. 그래서 나를 자랑하는 게, 스스로 대단하다고 여기는 게 부끄러운 일이 되어 버린 것 같다. 나는 늘 결승점 앞에서 '좀 더 열심히 해야 할' 존재다. 비극은, 그 결승점을 내가 정한 게 아니라는 사실이다. 그래서 우리는 늘 스스로를 부족하다고 여기며 끊임없이 몰아세웠던 것 같다. 그리고 나를 억압하던 시선으로 똑같이 타인을 바라보고 평가하고 억압하면서 피해자이자 가해자로 살아왔던 게 아닐까.

영국에는 북한 난민들이 많이 산다. 한국 사람이 많이 모여 살고 있는 뉴몰든(New Malden)에는 남한 사람, 북한 사람, 조선족이 섞여 산다. 그야말로 코리아타운이다. 북한 사람만 1,000명 가까이 있다고 한다. 뉴몰든에 사는 북한 사람을 몇 년 전에 만난 적이 있다. 그녀는 한국에서 살다가 영국으로 오게 되었고, 비슷한 처지의 북한 남성과 결혼해서 아들과 함께 살고 있었다. 남편은 슈퍼마켓에서 일하는데, 부지런하다고 인정받아 곧 매니저가 된다고 했다. 시리아, 아프가니스탄, 소말리아, 수단 난민들과 견주면 북한 난민은 엄청나게 부지런하고 성실해서 이곳에서 환영을 받는다고 했다.

그 말을 듣고 신선한 충격을 받았다. 한국에서는 북한 사람들, 특히 북한 남성들이 좋은 평가를 받지 못하는 경우가 많다. 사회주의국가의 배급 체제에 길들여져, 열심히 일하는 대신 복지 시스템에 빌붙어 살려 한다거나, 직장에서 분란을 일으켜 잘리기 일쑤거나, 보험 사기로 일확천금을 노리는 파렴치한으로 종종 이야깃거리가 된다. 이주민은 어떤 토양에 자리 잡느냐에 따라서 다른 방식으로 적응할 텐데, 이런 모습이 정말 한국에 사는 북한 이주민의 전형이라면 그런 현상에 한국 사회가 져야 할 책임은 없을까? 아니, 언제나 성실하라고, 복지 시스템에 기대지 말라고, 직장에 순응하라고 요구하는 것이 정당한가? 우리가 성실함의 기준을 높게 정해 놓고 그들에게 요구하면서 비난하는 순간, 우리 자신도 그 굴레 안에 더 깊숙이 속박되는 것은 아닐까?

나는 지난 10여 년 동안 백 명이 넘는 북한 이주민을 만났다. 주로 청소년과 여성들이었다. 그들이 공통으로 이야기하는 것은 한국인의 '시선'이다. 한국 사람들이 그들을 바라보는 묘한 눈. 옷차림과 말투, 혹은 스스로 고백해서 북한 사람이라는 게 밝혀진 뒤에 받게 되는 관심, 동정, 무시, 교화, 조언, 경멸, 배려의 시선과 태도를 이야기해 주었다. 처음에는 그게 환대인지 경계인지, 친절인지 억압인지 헷갈리다가 곧 그 모든 것이 합쳐진 복잡한 시선이라는 것을 알게 된다. 그리고 사람들이 그런 시선으로 보는 이상, 자신은 결코 한국 사람들과 동등한 관계를 맺을 수 없다는 것을 알아차린다. 그러면 북한 사람이라고 고백한 것을 후회하거나, 북한에서 왔다는 게 드러나지 않도록 애를 쓴다. 한국 사람처럼 말하고, 먹고, 옷 입고, 화장하려고 애쓴다. 북한 사람이라는 범주로 확 밀어 넣는 시선을 피하는 방법은 다른 사람들과 같아지는 방법밖에 없다고 생각한다.

처음 질문으로 돌아가서 내가 다른 사람들 시선에 움츠러들 때, 그건 실제로 타인이 나를 그렇게 보기 때문일까, 아니면 타인이 나를 그렇게 볼 것이라고 내가 생각하기 때문일까?

그 답은 살고 있는 사회에 따라 다른 것 같다. 영국에 사는 내가 느끼는 타인의 시선은 나 스스로 증폭시킨 것이 크다는 것을 고백한다. 그건 한국 사회에 살면서 내가 알게 모르게 갖게 된 태도이다. 하지만 한국에 사는 북한 이주민이 느끼는 한국 사람들의 시선은, 비록 자신의 내면에서 키워진 면도 있겠지만 실제로 끊임없이 말과 행동으로 경험하는 현실이라고 할 수 있다.

그런데 이 시선은 그들에게만 향하고 있는 것이 아니다. 한국 사회에서는 아무도 타인의 시선에서 자유롭지 못하다. 연고도, 배경도, 고급 취향도, 돈도, 자격증도, 노동 영웅다운 성실함도 없이 한국 땅에 온 북한 이주민을 보는 시선. 그게 무엇인지, 그 시선을 받는 게 어떤 느낌인지 우리 모두 조금씩은 알지 않는가. 우리 기억 저편에 묻어 둔 모멸감을 들추어 보면.

두 번째 이야기-적응

"이제 좀 적응이 됐느냐"는 질문을 받으면, 잠깐 생각하게 된다. 시차 적응도 됐고, 동네 지리도 웬만큼 알고, 삼시 세끼를 잘 만들어 먹을 수 있고, 밤에 잘 자고 아침에 잘 일어난다. 아이들도 별 탈 없이 학교생활을 하는 것 같다. 적응이 된 것 같다. 그런데 다른 한편 생각해 보면, 아이들과 나는 아직 영국 친구가 거의 없고, 한국 노래를 듣고, 한국 음식을 먹고, 인터넷으로 한국 방송을 본다. 내가 가족 말고 이야기하는 사람은 대부분 카톡과 인터넷 전화로 소통하는, 한국에 있는 한국 사람들이다. 때때로 한국에 있다고 착각하기도 한다. 나는 이곳에 적응을 한 걸까.

무지개청소년센터에서 이주 청소년을 돕는 일을 할 때나 한국교육개발원에서 북한 출신 청소년을 연구하고 지원할 때, 우리는 이 지원으로 이들이 한국 사회에 '적응'하도록 도와야 한다는 것에 암묵적으로 동의했다. 그래서 얼마나 적응하고 있는지 점검할 수 있는 지표를 만들고, 적응할 수 있게 돕는 프로그램을 개발하고, 이들의 적응을 도와줄 수 있게 교사 연수를 하기도 했다. 우리는 그 적응이 이들을 일방적으로 한국 사회에 '동화'시키는 것은 아니라고 끊임없이 주장했지만, 나는 솔직히 우리가 목표로 삼았던 적응과 동화가 근본적으로 어떤 차이가 있었는지 잘 모르겠다. 우리 것을 따르라고 '강요'하는지 아닌지는, 우리가 '북한적인 것'을 얼마나 인정하느냐에 달려 있다는 사실을 안 것은 한참 뒤의 일이다.

삼성꿈장학재단은 '배움터 지원 사업'을 한다. 여기서 나는 재단이 지원하는 배움터를 도와주는 전문위원으로 일했다. 특히 북한 출신 청소년을 위한 교육기관을 컨설팅해 주는 게 주된 일이었다. 이 기관 중에는 아이들이 공동생활을 하는 '그룹홈' 시설도 있었다. 아이들은 시설에 살면서 가까운 학교에 다니고, 방과 후에는 이곳에서 여러 프로그램을 하며 시간을 보냈다. 북한 출신 여성들이 한국에 와서 돈을 벌기 위해 외지에 나가면서 어린아이들을 시설에 맡길 수밖에 없는 현실이 비극적이라고 생각했지만, 정작 아이들은 형제 많은 집안의 애들처럼 시끌벅적하고 밝게 지내는 것 같았다.

시설 중에는 북한 사람들이 만들어서 운영하는 곳들이 있다. 나는 북한 사람들이 운영하는 기관에 가면 겉으로는 웃으며 수고

한다 하면서도 속으로는 혹시 아이들을 방치하고 있지는 않은지, 가혹하게 훈육하지는 않은지 더 자세히 살펴보았다. 그리고 북한 교사들이 아이들의 사회 적응을 더 더디게 할 것 같아서 남한 교사를 둘 계획이 있는지, 지역사회하고는 잘 교류하고 있는지 꼭 물어보았다. 그 뒤 몇 년 동안 곁에서 보면서 이들의 진정성을 이해하게 되었고, 이분들을 교육자로 존중하고 있는 나는 나름 공정한 시각을 갖고 있다고 믿었다. A 학교에서 혼란을 경험하기 전까지는 말이다.

A 학교가 배움터 방과 후 프로그램으로 '집체 무용'을 신청했을 때 우린 조금 망설였다. 하지만 계획을 존중하고 예산을 지원했다. 다문화 학생을 지원하는 정책은 이주해 온 어머니 나라의 문화를 존중하는 방향으로 가고 있어서 북한 문화도 어느 정도는 인정해 줄 수 있다고 여겼기 때문이다. 중간 점검과 사업 운영 컨설팅을 위해 시설을 찾아갔을 때, 그곳 교사들은 아이들의 실력을 보여 줄 생각에 들떠 있었다.

아이들은 '어린이 행진곡'에 맞춰 집체 무용을 절도 있게 해냈다. 비록 노래는 "자유 대한 길이 빛낼 새싹이라네"로 끝났지만, 아이들의 동작과 시선은 마치 TV 프로그램 〈남북의 창〉에 나오는 북한 학생들 같아서 나는 크게 당황했다. 너무 불편해서 아이들에게 물었다.

"재미있어요?"

아이들은 큰 소리로 그렇다고 했다.

"이거 하니까 어떤 점이 좋아요?"

아이들은 자신감이 생겼다고 했다. 학교 가서 발표도 잘하게 되었다고 했다. 그래도 나는 마음이 편치 않았다.

"여기 춤도 출 줄 알아요?"

아이들은 씨스타의 '셰이크 잇' 춤을 출 줄 안다고 했다. 나는 얼른 인터넷에서 그 노래를 찾아서 아이들에게 들려주었다. 절도 있게 집체 무용을 하던 아이들이 순식간에 허리를 돌리며 "좀 더 핫하게" 몸을 흔들기 시작했다. 그러자 북한 교사들은 마음이 불편해졌고, 나는 안심이 되었다. 초등학생의 선정적인 율동을 보는 불편함보다 아이들이 남한 춤을 출 줄 안다는 것을 확인한 안도감이 더 크다는 사실에 당황하면서도.

내가 사는 이스트본은 작은 도시인데도 케이팝(K-Pop)을 좋아하는 아이들이 제법 있는 것 같다. 우리 딸들은 학교에서 방탄소년단(BTS)이나 엑소(EXO)를 아는 영국 아이들을 쉽게 만난다. 한국에 대한 인상은 좋은 편이다. 린아와 같은 학년인 어떤 아이는 한글을 독학해서 카톡을 보내고, 애린이 반의 한 아이는 한국 사람들은 다 이렇게 피부가 좋으냐며 한국 사람으로 태어나면 좋겠다고 했단다. 이곳 어디서나 삼성과 엘지의 휴대폰과 가전제품, 현대와 기아의 자동차를 볼 수 있다. 우린 이곳에서 한국인이라는 것을 조금 자랑스럽게 생각하고 한국어를 쓰고 한국 음악을 듣는 것을 꺼리지 않는다.

캐나다의 심리학자 존 베리(John W. Berry)의 문화적 적응(Acculturation) 이론에 따르면, 이주민은 이주해 간 지역의 문화와 자신의 원래 출신지 문화, 이 둘을 어떻게 받아들이느냐에 따라 동화(Assimilation, +-), 분리(Separation, -+), 통합(Integration, ++), 주변화(Marginalization, --)라는 네 가지 중에 하나를 선택하게 된다. 두 문화를 모두 긍정적으로 여기는 통합이야말로 가장 건강한 상태라고 이야기하는데, 나는 북한 이주민들이 북한의 문화를 한국에서 얼마나 긍정적으로 여길 수 있을지 모르겠다. 아무래도 그들이 남한 사회에 적응하면서 동시에 북한에서의 자신의 삶과 문화에 대한 존중을 잃지 않는 '통합'에 이르기는 어려울 것 같다.

10년 전쯤에 중학생들에게 통일 교육을 한 적이 있다. 두 학교에서 모인 학생이 800명쯤 됐는데, 큰 무대에서 북한 출신 대학생 네 명이 북한 생활에 대해 이야기하고 학생들이 질문을 하는 방식으로 진행했다. 발표자들에게는 북한에 대한 자신의 기억을 솔직하게 이야기해 달라고 미리 부탁했다. 부정적인 것만 아니라 좋은 기억들을 이야기해도 된다고 했다.

한 남학생은 북한의 깨끗한 물에 대해 이야기했다. 마을 앞 강물을 손으로 받아 마셨는데, 여기 와서 물을 사 먹는 걸 보고 크게 놀랐다고 했다. 여학생은 고향에서는 마을 사람들이 서로 다 알고 지내며 어려운 일은 다 같이 도와주었는데, 여기 오니 이웃이 누군지도 모르고 엘리베이터에서 인사를 하지 않는 게 이상했다고 했다.

학생들이 너무 많아서 질문을 종이비행기에 적어 관중석에서 날리기로 했다. 질문 시간에 중학생들이 날리는 색색의 종이비행기가 무대 위로 떨어졌다. 그중 하나를 받아 읽은 여대생의 얼굴이 갑자기 붉어졌다. 거기에는 이렇게 적혀 있었다.

"그렇게 좋으면 다시 북한으로 가지 그래."

한국에 와 있는 북한 이주민에게 적응이란 무엇일까? 적응하기 위해 자신의 기억을 지우고 자신이 자란 사회를 부정해야 한다면 적응이란 게 노력할 가치가 있는 일일까? 이들에게 그것을 요구하는 것은 정당할까? 만약 영국 사회가 나에게 그런 적응을 요구한다면, 그래서 이곳에 오기 전까지 내가 살았던 삶을 잊어야 한다면, 나는 아마 자발적으로 부적응을 선택할 것이다.

세 번째 이야기-이름

2009년 12월 어느 저녁, 북한에서 교사였던 사람들이 열 명쯤 회의실에 모였다. 나는 그때 한국교육개발원 탈북청소년교육지원센터의 연구기획 팀장이었고, 새로 시작하는 'NK(North Korea) 교사 아카데미' 사업은 우리 팀의 일이었다. NK 교사 아카데미는 북한에서 교사였던 사람들에게 한국 교육에 대해 배울 수 있는 기회를 주고 수료 후에 북한 출신 학생들이 다니는 학교에서 보조 교사로 일할 수 있도록 하는 실험적인 사업이었다. 교육부와 의논해서 시작하긴 했지만 과연 어떤 사람들이 모일지, 교육 과정이 어떻게 이뤄질지, 과정을 마친 뒤에 학교에서 이 사람들을 받아 줄지 모든 게 불분명한 상황이었다. 모든 것을 유연하게 열어 놓고, 인연이 닿는 사람들과 과정을 함께 만들어 간다는 마음으로 시작했다.

북한에서 교사는 직업적 혁명가로 신망이 높은 편이다. 초등학교 입학부터 졸업까지, 중학교 입학부터 졸업까지 교사 한 사람이 계속 담임을 맡는다. 이런 제도에서는 교사가 학생의 성장에 많은 책임을 지게 된다. 남한처럼 한 학생이 학교 안팎에서 수많은 선생님을 만나는 탓에, 학생이 잘 배우지 못했을 때 그 책임이 누구에게 있는지 알기 어려운 구조하고는 사뭇 다르다. 그래도 공부 잘하고 성실한 사람들이 교사가 되는 것이나, 규범을 잘 따르는 교사들이 난세에 적응력이 떨어진다는 점은 남한이나 북한이나 비슷한 것 같다. 한국에 온 북한의 교사들은 다른 북한 이주민들과 마찬가지로 식당에서 일하거나, 무얼 해야 할지 방향을 잡지 못하고 이곳저곳을 전전하고 있었다. 다른 사람을 가르치거나 돌보는 일을 하는 사람은 한 명도 없었고 자기 자녀의 교육에 대해서조차 자신 없어 했다.

처음 시작할 때 이 과정이 자격증이나 취업을 보장하는 것이 아니라는 점을 몇 번이나 강조했다. 나중에 이들이 실망할까 봐 걱정이 되어서였다. 여러분이 교육 현장에서 일할 수 있도록 최선을 다하겠지만 취업을 약속할 수는 없고, 대신 한국의 교육에 대해 배울 수 있는 기회를 드리겠다고 이야기했다. 교육제도, 교과 내용, 교수 방법, 학생 지도 그리고 북한 출신 학생이 겪는 어려움에 대해서 강의하고 토론하고 실습할 것이라고 했다.

겨울밤이었는데도 방 안이 더웠다. 사람들은 상기되었고 그 기회에 감사했다. 아무도 취업을 요구하지 않았다. 대신 그동안 얼마나 이런 기회를 간절하게 기다렸는지를 고백했다. 한 선생님은 이런 이야기를 들려주었다. 집 근처에 초등학교가 하나 있는데 늘 그냥 지나치지 못하고 담장 밖에 한참씩 서 있었노라고. 교실에서 들려오는 소리, 운동장에서 아이들이 뛰노는 소리를 가만히 듣고 있다가 지나가는 사람의 눈총이 느껴지면 자리를 뜨곤했다고. 학교를 생각하면 그리움과 아픔이 동시에 밀려든다고 했다. 한때 북한에서 교사였던 그분들은 다들 눈물을 글썽였고, 서로 만난 것만으로도 감격해 했다.

이 사업은 그 뒤로도 많은 이야기를 남기며 지금까지 이어지고 있다. 몇 해 전부터 통일부에서 이 사업을 맡게 되었고, 지금도 스무 명쯤 되는 NK 교사들이 북한 출신 학생들이 많이 다니는 학교에서 일하고 있다. 여전히 'NK' 두 글자를 조건처럼 붙이고 있긴하지만 나는 그래도 이들에게 교사라는 이름을 돌려준 것을 자랑스럽게 여긴다. 이들을 한 무리의 북한 출신 주민으로 보지 않고, 이곳에 오기 전에 해 온 일을 존중하고 개개인의 경험과 열망을 살피면서 함께 살아가는 방법을 찾아보려고 시도한 점에서 우리 사회가 부족하지만 한 발짝은 앞으로 나아갔다고 생각한다.

정책 용어가 어쩔 수 없이 필요할 때가 있다. 북한 이탈 주민, 결혼 이주 여성, 이주 배경 청소년, 중도 입국 청소년 같은 말은 지원이 필요한 대상을 분명히 하고 그들이 공통으로 경험하는 어려움을 드러낸다는 점에서 도움이 된다. 그런데 문제는 이렇게 만들어진 이름이 '나'라는 존재의 전부를 규정하게 되는 순간, 내가 그 이름 속에 갇히게 된다는 것이다. 그 이름은 분명 내 일부이긴 하지만 결코 전체가 아닌데, 사람들은 그 규정 안에서만 나를 본다. 더욱이 그 이름은 타인이 나를 바라보는 시선 속에서 붙여지는 경우가 많기 때문에 타인이 생각을 바꾸지 않으면 나는 계속 그 이미지에 머무르게 된다.

북한 출신 이주민은 '탈북자'라고 불리는 한, 폭정과 굶주림으로 고통스러워하다가 사선을 넘어 힘겹게 자유를 찾아온 사람들, 이곳에 와서는 적응하는 게 어려워 남한 사람들이 따뜻하게 보살펴 줘야 하는 사람들이어야 한다. 그가 북한에서 어떤 일을 했고, 무엇을 좋아하고 무얼 할 수 있는지는 그다음 문제이다.

캐나다에 살러 갔다가 다시 돌아온 청년을 만난 적이 있다. 그 청년은 그곳에 가니 자기를 탈북자로 바라보는 시선에서 벗어날 수 있어 너무나 홀가분했다고 한다. 그래도 우리말이 그리워서 한인 교회에 나가기 시작했고, 교민 사회는 탈북자 청년을 적극으로 지원해 주었다. 처음에는 도움을 많이 받았는데, 조금씩 혼자 힘으로도 잘할 수 있었단다. 영어도 웬만큼 되고, 다른 나라에서 온 청년들과 친구가 되면서 한인회의 도움이 그다지 필요하지 않게 되었다. 그런데 한국 사람들은 자신이 도움을 사양할 때마다 언짢아했다. 자신이 그들을 배신하는 것 같은 느낌이 들어

●

서 괴로워하다가 교회를 나가지 않게 되었다고 했다. 돌이켜 보니 그 시선은 한국에서 살 때 느꼈던 시선과 다르지 않았다. 탈북자는 탈북자다워야 했다.

나는 영국 사람들 앞에서 내 이름을 한글로 서명하는 것이 좋다. 그건 남이 나를 규정하는 것이 아니라 내가 내 존재를 적고 있는 느낌을 준다. 내게 이름은 지금까지 살아온 나날의 기억을 담고 있는 그릇이다. 한국에 와서 개명하는 북한 사람들이 적지 않다. 영실이, 옥이는 한국에 와서 서빈이, 태희가 된다. 탈북자라는 이름에서 벗어나려면 자신의 고유한 이름도 같이 버려야 한다고 생각하는 것 같다. 북한스러운 이름이 낙인이 되는 것, 그래서 자신의 과거와 결별하는 것, 그건 그들을 탓할 문제가 아니다. 그 결별을 선택하기까지 겪었을 마음의 부서짐이 느껴진다. 북한 출신 이주민에 대한 진정한 '환대'*는 아직 먼일이다.

---

* 나는 이 시만큼 이주민을 잘 표현한 글이 없다고 생각한다. 잘 알려진, 정현종의 시 '방문객'이다. "사람이 온다는 건 / 실은 어마어마한 일이다. / 그는 / 그의 과거와 / 현재와 / 그리고 / 그의 미래와 함께 오기 때문이다. / 한 사람의 일생이 오기 때문이다. / 부서지기 쉬운 / 그래서 부서지기도 했을 / 마음이 오는 것이다 − 그 갈피를 / 아마 바람은 더듬어볼 수 있을 / 마음, / 내 마음이 그런 바람을 흉내 낸다면 / 필경 환대가 될 것이다."

네 번째 이야기-관계

한강의 장편소설 《소년이 온다》를 읽었다. 1980년 5월 광주를 이렇게 그릴 수 있다니. 책을 읽은 사람들은 다들 며칠을 힘들게 보냈다고 한다. 나도 그랬다. 소년들을 애도하며 내 슬픈 마음도 위로받고 싶었다. 그런데 휴양지 바닷가에 누워 있는 사람들은 너무 평화로워 보였다. 나의 세계와 그들의 세계는 전혀 연결되어 있지 않은 것 같았다.

인문지리학에서 공간(space)과 장소(place)는 다른 개념이라고 한다. 공간은 그야말로 추상적인 삼차원의 세계이다. 이 공간에 개인적인 의미가 생기면 장소가 된다. 공간은 자유를 주고 장소는 안식을 준다(Yi-Fu Tuan, 《Space and Place》, University of Minnesota Press 1977). 내것이 아니라고 느낀 바닷가는 그저 내가 서 있는 공간일 뿐이었다. 어떻게 해야 이 공간이 내게 의미 있는 장소가 될까? 그때 나는 이곳이 내 것이 아닌 이유가, 내가 이 사회의 풍요와 평화에 기여한 게 없기 때문이라고 생각했다. 적어도 그때는 그렇게 생각했다.

시간이 지나 나에게 좀 더 너그러워졌을 때, 공동체에 소속되는 것은 '기여'가 아니라, '관계'의 문제라는 생각이 들었다. 내가 이곳에 속하지 못하는 느낌을 갖는 것은 내가 이곳과 아직 관계를 맺지 못해서 그런 거다. 그때 바닷가에서 혹시 아는 사람을 만나서 내가 이런 책을 읽었는데 마음이 너무 무겁다고 이야기했다면, 그래서 조금이라도 공감을 얻었다면 그곳은 그렇게 낯설지 않았을 것이다. 공간을 장소로 만드는 것은 관계인 것 같다.

불행하게도 한국 사회는 다른 사람과 관계 맺는 게 쉽지 않은 곳이다. 한국에서는 같은 아파트에 살아도 별로 말을 섞지 않았다. 초등학교 2학년 때 린아는 가치사전을 만드는 수업에서 '이웃'을 이렇게 정의했다.

"이웃은 상자다. 열 수 있지만 아무도 열지 않는다."

한국의 아파트는 그랬다. 한국에서 몇 해 전에 만난 한 여학생은 자기 아버지가 너무 불쌍하다고 했다. 북한에서는 늘 아버지 친구들로 집이 북적거리고 유쾌했는데, 여기서는 찾아오는 사람이 아무도 없단다. 어느 날 아버지가 우두커니 있다가 이렇게 말했단다.

"도둑이라도 좋으니 누가 좀 왔으면 좋겠다……."

한국 사회는 어느덧 고독한 개개인이 상자 속에 들어가 혼자 사는 사회가 되었다. 외로운 것은 북한 출신 주민만이 아닐 거다. 사실 우리 모두 그렇다. 단지 상자 밖으로 나가는 일이 어떤 이들에게는 더 어려운 것뿐이다.

관계를 맺는다는 것은, 그 사람과 나 사이에 이야기가 만들어진다는 것이다. 이야기를 공유하면서 나는 그를 온전하고 고유한 한 사람으로 알게 된다. 그를 바라보는 사회적 시선, 그에게 일방적으로 적응하라고 했던 부당한 요구, 그를 집단 속에 가두는 이름은 모두 그를 알기 전의 일이다. 한 사람을 개인으로 알게 되면 그가 어느 한 잣대로 평가할 수 없는 존재임을 깨닫게 된다. 나는 운 좋게도 살면서 다양한 사람을 만났고 그들의 이야기를 들을 수 있었다. 그래서 장애인, 성소수자, 이주민, 탈북자 같은 단어를 들으면 생각나는 구체적인 사람들이 있다. 그리고 그들 덕분에 나는 이 이름 너머에 그들의 여러 모습이 있다는 것을 안다.

다양하게 살아온 고등학생들이 자신의 사연을 이야기하고 통일 한국에서 살아갈 자신의 삶을 그려 보는 1박 2일 캠프를 기획해서 한 적이 있다. 그곳에는 북한 출신 학생과 다문화 학생들도 있었다. 규칙은 간단했다. 각자 20분쯤 아무런 방해 없이 자신의 이야기를 하고, 다른 이들은 판단하거나 평가하거나 조언하지 않고 귀 기울여 듣는 것이다. 영혼이 안전한 공간에서 사람들이 풀어내는 이야기와 그를 통한 소통의 다이내믹은 예술과 기적 사이

어디쯤 있는 것 같다. 아이들이 모두 눈물을 흘렸고, 자기 이야기를 이렇게 길게 해 본 것은 처음이라고 했다. 그건 고작 20분이었다. 얼마 전에 캠프에 참가했던 한 여학생이 그때 경험으로 생긴 변화에 대해 말한 것을 전해 들었다. 그때 온전히 이해받고 나서 더 이상 자기가 북한에서 살다 온 것이 부끄럽지 않게 되었고 이제는 그걸 감추지 않는다고.

하고 싶은 말을 하고 사람들이 잘 들어 주는 일은 뜻밖에 힘이 세다. 말하지 못하면 한이 된다. 마땅히 해야 할 말을 못하면, 살아서는 화병이 생기고 죽으면 원귀가 된다. 옛날이야기에 원귀가 많이 나오는 것을 보면 우린 대대로 말하지 못한 아픔이 많은 것 같다. 《소년이 온다》를 보고 왜 그리 마음이 아팠는지 생각해 보면, 80년 5월 광주를 살았던 소년들과 젊은이들의 이야기를 보면서 익명의 희생자를 내 이웃으로 다시 바라보게 되었기 때문이다. 그걸 이제야 이렇게 듣고 있는 게 미안했기 때문이다. 그리고 우리가 여전히 말 못하게 하는 사회, 말해도 듣지 않는 사회에 살고 있다는 좌절감 때문이기도 했다.

여기 사람들은 이야기하고 듣는 것을 좋아하는 것 같다. 이스트본 도서관은 책이 그리 많지 않은데, 역사책 분야는 제법 잘되어 있다. 특히 1, 2차 세계대전 때 사람들의 삶에 대해 쓴 책이 많은 게 인상 깊었다. 격동기를 산 보통 사람들의 삶이 서가를 가득 채우고 있다. 이곳에서 역사는 암기 과목이 아니라 아직도 읽고 풀어내는 사람들의 이야기다. 서점에 가도 역사책이 소설책이나 요리책만큼 많다. 영국 술집 펍(pub)에서 스토리텔링 모임 광고를 본 적이 있다. 광고를 보고 있는데 한 남자가 지나가면서 누구든 와서 그냥 듣기만 해도 된다고, 사람들이 자기 삶을 이야기하는데 흥미진진하고 놀랍다고, 자기는 자주 온다고, 한번 와 보라고 권했다.

이런 풍경을 만날 때마다 조금 부러운 마음이 든다. 나는 무슨 이야기를 할 때마다 '이런 이야기를 해도 되나' 하고 스스로 검열해 왔다. 80년대에는 '잡혀가지 않을까' 두려워했고, 그 뒤에는 내 말이 '어떤 편에 선 것인지'를 먼저 계산해야 했다. 일상에서는 너무 잘난 척해서도, 너무 튀어서도 안 되고, 사람들이 나한테 기대하는 것 이상 말해서도 안 된다고 생각했다. 모든 대화가 다 논쟁적이고 이념적이고 또 계층 사이의 갈등을 담고 있는 것 같아서, 예능 프로그램 이야기 말고는 안전한 영역이 없다고 느꼈다. 그러다 보니 세상에는 꼭 해야 할 말이란 없는 듯했고, 결국 나도 나만의 상자 속에 들어가 있었던 것 같다.

누구나 자기 이야기를 할 수 있고, 다른 사람의 이야기를 있는 그대로 들을 수 있는 사회가 된다면 우리가 느끼고 있는 삶의 억압이 많은 부분에서 풀리지 않을까. 그런 사회라면 북한에서 온 사람들도 상자 밖으로 나와서 자신의 경험을 있는 그대로 이야기할 수 있을 것이다. 그런 사회라면 아픔을 가슴에 묻은 채 마음의 병을 가지고 사는 사람도 줄어들고, 우리의 고독도 견딜 만해질 것이다. 그리고 무엇보다도 사람들 사이에 관계가 만들어질 것이다.

마무리하며
다시 시작하는 글

이 글을 마무리하는 게 너무 힘들었다. 이야기를 다 마친 뒤에 "그래서 어떻게 해야 한다"는 결론을 써야 하는데 나는 방향을 못 잡고 이런저런 생각들을 썼다 지웠다 몇 주째 되풀이하고 있었다. 그러다가 또 다른 이야기를 만났다.

지난주에 한국에서 부친 이삿짐이 이곳에 도착했다. 이삿짐을 나르는 인부가 셋이었는데 그중 두 명이 북한 사람이었다. 두 사람 다 몸집이 나보다도 작았는데 무거운 짐을 번쩍번쩍 들어 옮기며 싫은 내색 하나 없었다. 너무 짐이 많아서 죄송하다고 하니 이건 일도 아니라며 웃었다. 컵라면으로 끼니를 때우며 하루 종일 짐을 옮기는데, 이렇게 열심히 일하는 사람들은 영국에 온 뒤로 처음 봤다. 한국에서는 남북한 사람들의 다른 점이 그렇게도 잘 보이더니 여기서 억양이 다른 것은 문제도 아니었다. 말이 이리도 잘 통할 수가 없다. 너무 반가워서 졸졸 따라다니며 말을 거는 내 입에서 '동포'라는 말이 술술 흘러나왔다.

우리가 새로 산 집은 조금 수리를 해야 했다. 집수리하는 영국 사람 여러 명에게 견적을 내 달라고 했는데 한 달이 다 되도록 응답이 없었다. 이런 속도라면 언제 공사를 할 수 있을지 기약할 수 없을 지경이었다. 이삿짐을 옮겨 준 K 씨가 집수리도 한다고 해서 연락해 보았더니 다음 날 친구와 아들을 데리고 두 시간 동안 차를 몰아 우리 집을 찾아왔다. 고쳐야 할 곳을 살핀 뒤에 그들이 일을 맡기로 했다. 뉴몰든에서 이스트본까지 너무 멀어서 우리 집에서 일주일 동안 지내면서 일을 하기로 했다. 내일 이들은 연장과 함께 쌀, 김치, 전기밥솥, 이불을 싣고 우리 집으로 온다. 여기 이웃들한테는 듣도 보도 못 한 광경이 될 거다.

K 씨를 만난 뒤 나는 마음이 놓였고 고마웠고 든든했다. 이건 지금까지 북한 사람들을 숱하게 만나면서 한 번도 느끼지 못한 감정이었다. 왜일까? 문득 그건 K 씨가 특별한 사람이어서가 아니라 지금까지 내가 북한 이주민을 만난 상황이 기형적이었기 때문이라는 것을 깨달았다. 이제껏 나는 그들과 인터뷰어와 인터뷰이의 관계로, 연구자와 연구 대상자의 관계로, 지원해 주는 사람과 지원받는 사람의 관계로 만났다. 생각해 보니 한 사람도 대등하게 만나 본 적이 없다. 나는 늘 관찰자 아니면 베푸는 사람이었기에 지금처럼 동등한 관계에서 상호 의존적인 상황은 벌어지지

않았다. 지금까지 나는 그런 불균형한 관계에서 내 판단이 얼마나 왜곡될 수 있는지 생각하지 못한 채 내가 북한 이주민들을 잘 알고 있다고 믿었다. 갑자기 부끄러워졌다.

앞으로 내가 이곳에서 이들과 맺을 관계는 달라질 것 같다. 제 3 지대에서 북한 출신 이주민과 남한 출신 이주민의 관계는 내가 남한 사람으로서 갖는 우월감을 들이밀지 않는다면 조금은 더 평등하지 않을까 싶다. 그렇게 되면 이들이 함께 사는 이웃으로 다시 보이게 되지 않을까. 더욱이 우리는 서로가 서로에게 강퍅한 한국 사회를 벗어나 있으니 말이다.

이 글을 마치면서 나는 아직 어떤 결론을 내릴 능력이 없다는 것을 고백할 수밖에 없다. 아직 더 많은 이야기를 들어야 한다는 것을. 그리고 그것은 좀 더 동등한 관계에서 이야기하고 듣는 과정이어야 한다는 것을 안다. 그래서 나에게 이 글의 마무리는 또 다른 이야기의 시작인 셈이다.

계간 〈창작과비평〉에 실린 글은 여기까지이다. 그리고 정말 이 글의 마무리가 또 다른 이야기의 시작이 되었다. 그 뒤에 나는 이 책을 쓰기 시작했다.

북한 이탈 주민뿐만 아니라 다문화 가족, 중도 입국 청소년, 결혼 이주 여성, 외국인처럼 제 이름이 아닌 것으로 불리는 사람들의 이야기를 담아 보고 싶었다. 인터뷰어나 연구자, 지원 기관 담당자가 아니라 이웃으로, 함께 사는 사람으로, 곁에 있는 사람으로 그들을 다시 보고 싶었다. 하지만 얼마나 그들의 삶을 보여 주었는지는 모르겠다. 너무 많이 내 이야기를 해 버렸다.

•

우린
보고 싶은 것만
본다

북한 이탈 청소년이나 다문화 청소년을 국가는 적극적으로 지원해 주어야 한다. 이 말에 동의하십니까? 누군가 왜 그래야 하느냐고 묻는다면, 뭐라고 답하시겠습니까?

사회적 지원을 할 때는 어떤 이에게 무엇을 어떻게 얼마만큼 언제까지 누가 왜 지원해야 하는지 늘 논쟁이 따른다. 고백하자면 나는 이 문제를 제대로 다룰 만큼 준비가 되어 있지 않다. 사회 정의에 대한 철학적 이해도 부족하고, 국가 예산을 효율적으로 쓰는 데 필요한 경제학 지식도, 취약 계층이 자립하는 과정에 대한 사회복지학 이론도 잘 모른다. 그래서 이 이야기를 꺼낼까 말까 한참 동안 망설였다.

내 철학의 빈곤과 얕은 지식을 드러내면서까지 이야기를 하는 것은 우리가 이들을 지원하는 방식과 논리 그리고 가능한 결과에 대해 같이 생각해 보고 싶었기 때문이다. 그냥 열어 놓고 이야기해 보자는 것뿐이다. 여러 사람이 이야기하다 보면 혹시 더 좋은 방법을 찾을 수 있지 않을까 기대하며. 모두 함께 잘 사는 방법을.

그림 두 장

북한 출신 청소년과 다문화 청소년에 대한 지원을 이야기할 때 가장 많이 이야기하는 것은 교육 문제이다. 학교에 다녀야 할 나이여서 그렇다. 모든 아동은 교육받을 권리가 있다. 한국도 비준한 유엔의 아동권리협약에도 그렇게 적혀 있다. '모든' 아동이다. 당연히 북한에서 온 어린이들도 다문화 가정 아이들도 포함된다.

앞에서 이야기한 대로 지난 10년 동안 우리는 이를 위해 노력해 왔다. 초·중등교육법을 개정해서 학력심의위원회를 만들어 이 아이들이 학교에 편입학할 수 있는 제도적 장치를 마련했다. 또 의무교육인 초등학교와 중학교까지는 학력 심의를 받지 않아도 학교장 재량으로 간단한 절차를 거쳐 편입학하게 되었다.

물론 10대 후반에 한국에 와서 고등학교에 들어가기 어려운 경우도 있고 학교에 들어갔지만 한국어나 다른 능력이 모자라서 공부하는 데 어려움을 겪는 아이들도 있다. 이런 아이들도 지원하기 위해 여러 가지 방안을 마련해 가고 있다. 어쨌든 지금 한국에서는 부모가 북한에서 왔다고 해서, 국제결혼을 했다고 해서 자녀가 학교에 못 들어가는 일은 거의 일어나지 않는다. 나름 평등한 교육 기회를 보장한다. 적어도 불평등하지는 않다.

평등(Equality)과 공평(Equity)의 차이를 그린 그림을 본 적이 있다. 키가 큰 아이, 중간인 아이, 작은 아이 세 명이 야구장 담장 밖에서 경기를 보려 한다. 세 아이 모두 똑같은 크기의 나무 상자에 올라서 있다. 상자는 중간 키 아이에게 맞춰져 있다. 그래서 상자 없이도 담장 안을 볼 수 있었던 키 큰 아이는 상자 위에서 더 시원하게 경기를 보고, 중간 키 아이는 상자 위에서 비로소 경기를 볼 수 있게 되고, 키 작은 아이는 상자 위에 서도 시선이 담장을 넘지 못해서 아무것도 볼 수 없다. 그래도 모두에게 똑같은 상자를 주었으니 이건 평등한 것이다. 북한 출신 청소년과 중도 입국 청소년들이 학교에 갈 수 있게 된 것은 평등한 것이다. 기회가 똑같이 주어졌기 때문이다.

그 옆에 비슷한 그림이 있다. 앞의 그림과 똑같이 야구장 담장 밖에 세 아이가 서 있고 상자도 세 개 있다. 그런데 이번에는 키 큰 아이는 상자 없이 서 있고, 중간 키 아이는 상자 하나 위에, 키 작은 아이는 상자 두 개를 포갠 위에 서 있다. 키 큰 아이의 상자를 키 작은 아이에게 준 것이다. 그렇게 서 있으니 세 아이 키가

다 고만고만해져서 셋 다 담장 안에서 하는 야구 경기를 볼 수 있게 되었다. 그 그림에는 공평이라고 적혀 있다. '에퀴티'는 번역하기 어려운 말이다. 공평이라고도 하고 공정이라고도 한다.

북한 출신 학생과 다문화 학생이 학교에는 들어갔지만 여러 가지 이유로 제대로 공부할 수 없다면 이들에게는 나무 상자를 더 주어야 한다. 그래서 정부는 그렇게 하고 있다. 이들에게 방과 후 수업 바우처를 지원한다. 한국어 능력이 부족한 아이들을 위해 초등학교와 중·고등학교에 이중 언어 강사를 파견하고 다문화 학생을 위한 한국어 교육 과정(KSL)도 제공한다. 대학생 멘토링 기회도 준다. 대학생이 방과 후에 학교로 찾아가 교과 공부를 도와주는 것이다. 한국어 실력이 모자라거나 다른 이유로 정규 학교에 갈 준비가 안 된 아이들은 예비 학교나 디딤돌 학교에서 먼저 공부할 수 있다. 학교에 가기 어려운 이 아이들이 다니는 대안교육 시설은 일부 재정 지원도 한다. 북한 출신 청소년은 재외국민 특별전형을 통해 대학에 입학할 수 있고 대학 학비는 무료이다. 또한 전문적으로 이들의 교육을 지원해 주는 탈북청소년교육지원센터와 중앙다문화교육센터도 설립했다. 이것을 보면 이 아이들이 딛고 올라설 수 있는 나무 상자들은 제법 많다. 이주해 온 아이들을 위해 이렇게 세심하게 지원해 주는 나라도 흔치 않다. 이 정도면 제법 훌륭하다.

그런데 나무 상자를 만들려면 비용이 든다. 예산을 마련해야 한다. 그러면 누군가 이런 질문을 할 수 있다.

"이 아이들은 모두 다 이 상자가 필요한가요?"

"이 아이들 말고 상자가 필요한 아이들도 다 이렇게 지원하나요?"

담장 밖에는 키 작은 아이들이 가득하다. 북한 출신 학생도 다문화 학생도 아닌데 기초 학력이 모자라고 가정에 어려움이 많고 또래 친구가 없는 상태로 제법 오랫동안 살았던 아이들이 담장 밖을 서성인다. 두 질문에 답을 해야 하는데 대답이 좀 구차하다. 이 아이들이 모두 다 지원이 필요한 아이들인지 잘 모르겠고 이 아이들 말고 다른 아이들도 이렇게 지원하는지도 자신 없다.

왜 북한 출신 청소년과 다문화 청소년에게 적극적인 지원이 필요한지 '공공의 토론'이 있었는지 잘 기억이 안 난다. 그보다는 이들을 지원하는 단체와 활동가들이 이 집단의 열악한 상황을 알리고 지원이 필요하다고 설득하면 뜻있는 단체와 개인들이 선한 마음으로 돕고 정부와 지자체가 새로운 취약 집단을 지원하는 제도를 만들어 왔던 것 같다.

나도 지난 10여 년 동안 북한 출신 청소년과 다문화 청소년을 돕는 일을 하면서 왜 우리가 그들을 지원해야 하는지 여러 번 이야기한 적이 있다. 교육부나 여성가족부 공무원, 시도 교육청 장학사, 교장, 교감, 교사, 전문 상담사, 또래 학생들, 심지어 이 아이들이 많이 다니는 학교의 학부모들에게 아이들의 열악한 상황을 알리고, 그래서 우리가 도와주어야 한다는 점을 강조하곤 했다.

고백하자면 나는 그때 가끔씩 내가 말하는 것에 스스로 의심이 든 적이 있다. 그래도 내가 하는 일이 지원 업무이니 사람들에게 도와 달라고 설득하는 데 최선을 다했다. 나는 이제부터 내가 그때 했던 말들, 그리고 때때로 느꼈던 회의를 복기하려고 한다. 혹시 내가, 지원하는 것에 급급해서 더 큰 그림을 놓친 것은 아닌지 되돌아보기 위해.

불쌍한

　나는 교사 연수나 교장 연수에서 북한 출신 청소년의 교육 문제를 이야기할 때 이 아이들이 얼마나 갖은 고생을 하며 이곳까지 왔는지 생생하게 전해 주려 했다. 북한에서 경험한 간난신고, 목숨을 걸고 두만강을 건넌 공포와 숨어 지냈던 중국에서의 불안감, 인도차이나반도를 거쳐서 한국까지 오는 긴 여행을 이야기했다. 사실 정말 고생을 많이 했다. 이 과정에서 가족이 잡혀 가거나 죽는 것을 본 아이들도 있다. 또래 남한 청소년들이 학교에 가서 공부할 때 이 아이들은 숨어서 여러 국경을 넘었다. 나는 아이들의 상황을 잘 보여 주려고 가장 처절한 사진들을 화면에 띄우고 가장 멀리 돌아오는 길을 지도 위에 표시했다. 아이들한테 들은 이야기 중에서 가장 고생스러운 일을 골라 예를 들기도 했다.

　그리고 나서 힘들게 목숨 걸고 상처 입으면서 한국에 왔는데, 정작 여기서 어떻게 살고 있는지를 이야기했다. 탈북 과정에서 이미 가족은 해체되어 모자 가정, 조손 가정이 태반이다. 학교에 가도 공부를 따라가기도 친구를 사귀기도 어렵고 때때로 놀림감이 되기도 한다. 나는 그들이 북한에서도 중국에서도 한국에서도 얼마나 '불쌍한' 존재인지를 이야기했다.

마지막으로 선생님들의 관심과 배려가 이 아이들이 한국 사회에 정착하는 데 큰 힘이 된다는 점을 힘주어 강조했다. 미국 사회 과학 분야의 유명한 연구인 '하와이 카우아이 섬 종단 연구'와 에미 워너의 발견(가장 열악한 환경에 있어도 자기를 믿어 주는 '한 사람'만 있으면 역경을 극복하고 건강하게 성장할 수 있다는 희망찬 이야기이다. 《회복탄력성》을 통해 한국에 널리 알려졌다. _ 김주환, 《회복탄력성》, 위즈덤하우스 2011)을 이야기하면서 아이들이 어려움을 극복하고 건강하게 성장하도록 곁에서 힘이 되어 주는 '그 한 사람'의 어른이 되어 달라고 호소하기도 했다.

이런 이야기를 하면 선생님들은 대부분 고개를 끄덕였다. 누가 뭐라 해도 교사는 아이들의 성장에 대해 직업적으로 책임을 느끼는 것 같다. 듣는 이들이 고개를 끄덕여 주면 나는 더 힘을 받아서 북한 출신 학생들이 많이 다니고 있는 서울 강서구의 K 중학교 이야기도 했다. 이 학교는 교육복지우선지원사업에 선정된 학교이다. 이 말은 환경이 어려운 아이들이 많이 다니는 학교라는 뜻이다. 이 학교의 2009년 교육복지사업 성과 보고서를 보면 2학년에서 1년 동안 성적이 가장 좋아진 열 명 가운데 다섯 명이 북한 출

신 학생이었다. 이 학교는 전교생이 500명쯤 되고 이 가운데 스물
두 명이 북한 출신 학생이었다. 비율을 따지자면 북한 출신 학생
들의 성장은 정말 대단한 일이다. 물론 성적이 올랐다고 해서 그
들이 갑자기 우등생이 된 것은 아니다. 30~40점에서 50~70점 정
도로 나아진 것이다. 그래도 짧은 시간에 그렇게 좋아진 것은 칭
찬해 줄 만한 일이다. 그때 그곳에는 정말 헌신적으로 아이들을
지도한 선생님이 계셨다. 이 아이들은 가능성이 많은 아이들이고
교사가 관심을 가져 주면 크게 성장할 수 있다는 이야기를 덧붙
였다.

북한 출신 학생들에게 선생님들의 관심과 격려가 얼마나 필요
한지 열변을 토하며 이야기할 때 가끔 얼굴이 어두워지는 선생님
들이 있다. 한숨을 쉬기도 한다. 북한 출신 청소년이 있는 학교에
서 연수를 할 때 더 그렇다. 이 아이들은 대부분 임대주택에 사는
데 임대주택 가까이에 있는 학교는 이 아이들 말고도 가난한 아
이들이 많을 수밖에 없다. 이런 말을 하는 분들도 있었다.
"학교에는 얘네 말고도 어려운 아이들이 너무나 많아요. 그래
도 탈북 아이들은 여러 가지 지원이 나오기라도 하지……."
이런 학교에는 '곁에 있어 주는 한 사람'이 필요한 아이들이 너
무 많았다. 거기에 대고 나는 이들이 얼마나 불쌍한지 열심히 이
야기하고 있었던 거다.

•

K 중학교의 이야기로 다시 돌아가면 그때 K 중학교의 이 선생님이 그랬다. 한국에서 태어나 자란 아이들 중에는 어디서부터 어떻게 도와주어야 할지 모르겠는 아이들도 있다고. 너무 오랫동안 방치되어 있어서 어떤 것도 짧은 기간에 변화를 보여 주지 못한다고. 북한 출신 학생들을 지원했을 때 효과가 빨리 나타나는 것은 어쩌면 문제가 오랫동안 누적된 것이 아니기 때문일지도 모르겠다고. 이곳에 오래 산 아이들의 문제는 더 두텁다고.

하나원은 탈북 하여 한국에 입국한 사람들이 사회로 나가기 전에 석 달 동안 몸과 마음을 추스르면서 한국 사회에 대해 배우는 통일부 기관이다. 경기도 안성에 있다. 이곳에는 하나둘학교가 있는데 여기에서는 3개월 뒤에 한국의 중·고등학교로 편입학하게 될 청소년들이 공부한다.

5~6년 전 일이다. 이 아이들이 앞으로 다닐 한국의 학교를 미리 경험할 수 있게 가까이 있는 고등학교에서 하루 동안 체험하는 프로그램이 있었다. 나는 평택에 있는 고등학교 학생들에게 미리 오리엔테이션을 하러 갔다. 북한 출신 청소년들이 어떤 경험을 하고 이곳에 왔는지, 하루 동안 같이 지내면서 어떤 점을 주의해야 하는지, 어떤 도움을 주면 좋은지 이런 것을 이야기하려고 준비했다.

학교는 농촌 지역에 있었다. 전교생이 모두 강당 바닥에 앉아 있었는데 분위기가 참으로 어수선했다. 학생들은 떠들고 선생님들은 소리 지르고 구석에 있는 아이들은 실내화를 던지며 놀았다. 나는 한참 떨어진 단상에 서서 난감하게 바라보다가 준비한 발표를 시작했다. 마이크 소리가 컸지만, 내 말이 앉아 있는 학생들한테 닿지 않는다는 것을 여실히 느낄 수 있었다. 한국까지 오는 긴 여정을 지도로 보여 주면서 이 아이들은 더 나은 삶을 찾아 북한을 떠나 목숨을 걸고 이곳에 왔다고 말했을 때, 한편에서 "와……" 하는 소리가 들렸다. "좋겠다……"는 말이 들렸을 때 순간 당황했다.

이들은 살기 위해 고향을 떠난 이 불쌍한 아이들을 부러워하고 있었다. 강당에 모인 학생들 하나하나의 사연은 전혀 알지 못한다. 그 학교의 사정도 잘 모른다. 그래도 그 끈적한 부러움이 그곳을 떠나 운전하며 돌아오는 내내 나를 무겁게 했다.

'어쩌면 여기 이 아이들도 떠나고 싶은지 몰라. 새로운 기회를 찾아서.'

이곳에 있는 아이들도 어쩌면 힘든 일을 겪고 있는지도 모른다는 생각이 들었다. 그들 앞에서 나는 북한 출신 청소년들의 고난을 이야기하고 도와 달라고 했다.

몇 번의 각성이 있었지만, 그럼에도 불구하고 나는 계속 이들이 얼마나 불쌍한지 오랫동안 이야기했다. 그리고 나처럼 이야기하는 사람들을 적지 않게 만났다. 나도 그들도 특히 지원을 요청할 때 그렇게 말했다.

다른 아이들보다 이들을 '더 먼저' '더 많이' 지원해 주어야 하는, 이들이 '더 불쌍한' 이유를 찾는 데 최선을 다했다. 우리는 '불쌍함'을 경쟁했다.

●

차별받는

탈북청소년교육지원센터에서 일할 때 북한 출신 청소년을 이해하는 데 도움이 되는 교육용 동영상을 만든 적이 있다. 왕따 문제를 이야기했는데 우리는 아이들을 차별의 희생자로만 그리는 구도에서 좀 벗어나고 싶었다. 북한에서 온 아이들이나 어머니들이 "한국 애들한테 왕따를 당한다"고 이야기하는 것을 잘 들어 보면 이걸 다 왕따라고 봐야 하나라는 생각이 들었기 때문이다. 무시한다고 이야기하는 것은 그냥 무관심하기 때문에 하는 행동인 경우도 있고, 놀린다고 이야기하는 것은 무지하기 때문에 나온 말인 경우도 있었다. 그리고 그것은 북한에서 온 아이들한테만 하는 행동이 아니라, '특이한' '이상한' '짜증 나는' 다른 애들한테도 은근히 하는 행동인 것 같았다. 아무튼 북한 출신 청소년들을 차별받는 희생자로만 그리고 싶지 않았다. 그것은 사실이 아닐 뿐만 아니라, 그런 시각은 누구에게도 도움이 되지 않는다고 생각했다. 그러다가 K 중학교 이 선생님한테서 이런 이야기를 들었다.

중학교를 졸업한 정이와 향이가 고등학교에 진학했다. 고등학교 들어가서도 둘은 북한에서 왔다는 것을 자연스럽게 밝히고 그런대로 학교생활을 잘하고 있었다. 정이는 같은 반 학생 A가 자꾸 마음에 쓰였다. A는 지적장애가 조금 있는 여학생이었는데 친구가 없었다. 밥도 혼자 먹었다. 정이는 자꾸 중학교 1학년 때 자기 생각이 났다. 친구 없이 학교 다니는 게 얼마나 외로운지 잘 알기에 향이에게 A와 같이 밥도 먹고 친하게 지내자고 했다. 향이는 우리도 아직 친구가 많지 많은데, 괜히 왕따 친구와 사귀면 같이 따돌림당한다고 걱정했다. 그러면서 '여긴 무서운 사회'라고 했다. 정이는 그래도 마음이 자꾸 밟혀서 향이를 설득했고, 그들은 A와 같이 밥도 먹고 이야기도 나누며 친구가 되어 줬다.

그러다 작은 사건으로 반 아이들이 A를 더 싫어하고 멀리하게 되었다. 향이는 그 뒤 A와 같이 밥을 먹지 않았다. '마음이 찔렸지만' 할 수 없었다. 정이는 1학년이 끝날 때까지 A의 친구로 지내다가 2학년 때 다른 반이 되면서 자연히 멀어졌다. 대강 이런 이야기다.

우리는 이 이야기를 기본 틀로 해서 20분짜리 단편영화 〈만남과 성장〉을 만들었다. 정이와 향이, 이 선생님 인터뷰도 군데군데 넣었다. 나는 이 영상이 여러모로 새로운 시각을 보여 준다고 생각했다. 우선 정이와 향이가 왕따당하는 북한 출신 학생으로 그려지지 않은 게 좋았다. 사실 왕따는 '탈북 학생이기 때문에' 당하는 것이 아닐 수도 있다. 여기서 왕따 피해자는 한국 학생 A였다. 그리고 북한 출신 학생을 '무력한 희생자'가 아니라, '적극적 행위자'로 그린 것도 좋았다. 정이가 A에게 한 행동은 소외당한 경험이 있는 사람이 다른 소외된 이를 볼 때 느끼는 공감과 연민, 그리고 연대의 행위였다. 선생님이 아이들에게 해 준 조언, '자기가 감당할 수 있는 몫만큼만 도와주라'는 말도 마음에 와 닿았다. 이 영화는 드라마틱한 사건이 있는 게 아니라 사람 사이에 있을 수 있는 미묘한 배제로 생긴 불편함을 보여 주고 있다. 그리고 그 안에서 개개인이 취하는 선택의 문제를 담담하게 그렸다.

이 동영상을 교장 연수 때 함께 보았다. 보고 나서 여러 주제에 대해 자유롭게 이야기하면 좋겠다고 생각했다. 학교 안에서 일어나는 은근한 따돌림과 차별 문제를 교장 선생님들이 어떻게 생각하는지 궁금했다. 그리고 북한 출신 학생의 적응 문제를, 모든 학생들을 다 포용하는 학교 풍토를 만드는 좀 더 큰 그림 속에서 같이 생각해 보고도 싶었다. 동영상을 다 보고 나서 선생님들의 의견을 물었다. 앞자리에 앉은 나이 지긋한 교장 선생님이 이렇게 말했다.

"이걸 보니 탈북 학생들이 학교에서 얼마나 차별을 당하는지 알겠어요. 아이들이 같이 밥도 안 먹고 착한 학생들만 말 걸어 주니 얼마나 힘들었을까."

아……. 이분은 20분을 다 보고도 A가 북한 출신 학생이라고 생각했다. 그분에게 정이와 향이는 착한 한국 학생이었다. 우리는 대체 뭘 만든 걸까. 이분에게는 여전히 왕따당하는 학생이 북한 출신 학생이었다. 그 견고한 생각의 고리를 끊기에 우리 영상은 너무 담담했다.

위험한

국회에서 국회의원이 정책 토론회를 열 때가 있다. 사회적 이슈에 대해서 관련 분야의 전문가와 정부 부처 공무원, 현장 활동가나 정책 대상자를 불러서 토론하는 것이다. 이런 자리는 중요하다. 문제의 중요성이나 심각성을 설득력 있게 이야기하고, 공공의 복지를 위해서 적절한 예산이 필요하다고 강조하면 그만큼 재정지원을 받을 가능성도 높아진다. 나도 몇 번 북한 출신 청소년 지원 문제에 대해 정책 토론회에서 발표한 적이 있다.

정부 예산을 받으려면 이 지원이 왜 사회적으로 필요한지 설득해야 한다. 그래서 나는 북한 출신 청소년들의 어려운 처지를 이야기하면서 이 집단을 사회적으로 잘 관리하지 않았을 때 닥칠 수 있는 '위험'에 대해서도 경고했다. 이미 적지 않은 북한 출신 주민이 한국에 정착하지 못하고 떠나고 있었다. 캐나다나 영국, 유럽으로 가서 난민 신청을 하는 경우도 있었고, 일부는 중국을 거쳐 다시 북한으로 돌아가기도 했다.

남북통일이 되면 북한 주민 2,500만 명과 함께 살아야 하는데 탈북자 2만 명하고도 함께 살지 못하면 어떻게 하겠냐고, 이들을 더 많이 지원해서 사회에 잘 정착할 수 있게 도와야 한다고 말했다. '그렇지 않으면' 이들은 잠재적 위험 집단이 될 수도 있고, 그렇게 되면 앞으로 더 큰 사회적 비용을 치를 수 있다고 했다. 북한 출신 청소년이 얽혀 있는 폭력 사건이나 북한 출신 주민의 보험 사기 같은 범죄는 신문에도 가끔 보도되고 있었다.

이런 잠재적 위험에 대해서 이야기하는 사람은 나 혼자만이 아니었다. 가장 가까이서 이들을 돌보는 활동가들도 이런 주장을 하곤 했다. 우리가 이런 이야기를 하면 듣는 사람 대부분은 고개를 끄덕였다. 고개를 끄덕인 사람은 모두 한국에서 태어나서 자란 사람들이었다. 지금 생각해 보면, 나는 지원을 받기 위해 공포를 세일즈 했던 것 같다. 그들은 불쌍하고 차별받는 존재일 뿐만 아니라, 위험한 존재가 되었다.

관리하지 않으면 잠재적 위험 집단이 될 수 있다는 논리, 이 이야기는 나중에 다른 공간, 다른 맥락, 다른 사람들한테서도 여러 번 들었다. 다문화 청소년 특히 중도 입국 청소년에 대해서, 이들을 지원하는 활동가나 교사들도 그렇게 이야기했다. 청년 이민자들이 한국 사회에 순조롭게 통합되지 못하면 나중에 외로운 늑대가 되거나 아니면 조직 폭력 집단 같은 사회 위협 요소로 발전할 수 있다고 했다. 유럽에서 이민자 출신 무슬림 청년들이 테러를 일으키면 이런 걱정은 더욱 힘을 받았다. 그래서 중도 입국 청소년을 지원하는 것은 미래의 위험을 예방하는 투자처럼 보였다. 이런 논리는 특히 북한, 중국, 몽골, 베트남, 우즈베키스탄에서 온 청소년들 이야기를 할 때 많이 이용되었다. 북미나 유럽, 일본에서 온 청소년에 대해서 이렇게 이야기하는 것은 들어 본 적이 없다.

영국에 와서 프리벤트(Prevent Strategy, 예방 전략)에 대해 알게 되었을 때, 우리 사회도 차라리 이런 지침이 있으면 좋겠다고 생각했다. 내가 프리벤트를 알게 된 것은 남편이 이곳 어학연수 기관에서 시간제 교사로 일하게 되었을 때 프리벤트 교육 이수증을 요구했기 때문이다. 교육기관(공립학교뿐만 아니라, 우리로 치면 학원 같은 사립 교육기관도 모두 포함해서)에서 일하려면 모두 이 교육을 마쳐야 한다는 것을 알았다.

프리벤트는 영국의 대테러 전략(Counter-Terrorism Strategy, CON-TEST) 가운데 하나로 극단주의자들이 잠재적 위협을 일으키기 전에 이를 발견하고 관리하기 위해서 만든 것이다. 2011년부터 시행하고 있다. 맥락이야 영국과 유럽에서 일상적인 공포가 되어 버린 이슬람 극단주의자들의 테러를 막기 위해 만든 것이지만, 그 집단을 콕 집어서 말하지는 않고 공식적으로는 근본적인 영국

적 가치(Fundamental British Value)를 위협하는 모든 극단주의 이데올로기로부터 사회를 보호하기 위한 전략이라고 말한다(여기서 말하는 근본적인 영국적 가치란 다음 네 가지이다. 민주주의, 법치, 개인의 자유, 다른 신념을 가진 사람들 사이의 상호 존중과 관용).

예방 전략은 민주주의의 근본 가치를 부정하고 테러리즘을 옹호하는 모든 극단주의 이데올로기에 대해서 적극적으로 문제를 제기하고, 그 이데올로기가 널리 퍼지지 않도록 잘 살펴서 대책을 세우고, 이를 위해 관련 기관(교육기관, 종교 기관, 교정 기관, 청소년 단체 등)이 협력한다는 내용이다. 이를 위해 채널(Channel)이라는 구체적인 실행 프로세스를 만들었다.

프리벤트에 대해 영국 사회에서 논란이 많은 것은 사실이다. 사람들은(특히 정치적으로 진보적인 가치를 가진 사람들은) 이런 방식이 사상의 자유를 억압할 수 있고, 아무리 좋은 가치라고 하더라도 그것을 '영국적 가치'라고 규정하는 것은 문제가 있다고 말한다. 그리고 최근 런던과 맨체스터 같은 곳에서 잇달아 테러가 일어나자, 예방 전략이 정말 효과가 있는지 의문을 품는 사람들도 있다.

그렇지만 한국에서 온 나는 긍정적인 점이 더 눈에 들어왔다. 그것은 어떤 집단을 '통째로' 잠재적인 위협 세력으로 보는 것이 아니라, 위험한 징후를 보이는 '개인'을 집중해서 살피는 방식이기 때문이다. 그리고 위험한 징후가 무엇인지에 대해서도, 막연한 공포가 아니라 구체적인 근거를 들어 이야기한다는 것이다. 이를

테면 어떤 사람이 극단주의 이데올로기에 몰입하고(engagement), 위험한 일을 할 의도가 있고(intent), 폭력적인 행동을 할 능력(capability)이 있는 경우, 세 가지 요소가 다 있을 때 그를 채널 프로세스를 통해 관리할 개인으로 본다.

이민자 청년이 사회의 위협이 될 가능성은 어느 사회나 늘 있다. 사회에 뿌리내리지 못한 어떤 젊은이도 사회에 위협적인 존재가 될 수 있는 것과 마찬가지로. 이때 필요한 것은 위협의 징후를 미리 알아채고, 그것을 어떻게 예방할지 노하우를 갖는 것이다. 북한 출신 청소년이나 중도 입국 청소년의 위험이 정말 걱정된다면 이런 매뉴얼을 만들어야 하는 게 아닐까. 학생이 어떤 행동을 보일 때 교사는 어떻게 대처해야 하는지, 학교를 넘어서서 다른 행정기관과 어떻게 협력해야 하는지. 애매하게 전체를 뭉뚱그려서 아이들에게 위험의 그림자를 씌울 것이 아니라. 하지만 아이러니하게도 한국에서는 나를 포함해서 이들을 돕는다는 사람들이, 그 그림자를 만들어 내고 덧씌우는 일에 한몫했다. 더 많은 지원이 필요하다는 논리의 근거로 이야기하면서.

누군가가 나를 위험한 존재로 본다면 어떤 마음이 들까. 나는 지난 2~3년 동안 전국을 다니면서 '다문화 감수성' 교사 연수를 했다. 다문화 감수성 교육 프로그램은 무지개청소년센터에서 개발한 것을 바탕으로 했다. 연수는 학교에서 학생들이 해 볼 수 있는 프로그램을 교사가 직접 해 보고 경험한 것을 이야기 나누는 방식으로 했다. 프로그램 가운데서 내가 가장 좋아하는 것은 '고정관념'과 '편견'에 대한 것이다.

머리띠 여섯 개와 포스트잇 묶음을 준비했다. 머리띠에는 각각 이렇게 적었다. 중국인, 일본인, 북한 이탈 주민, 장애인, 가출 청소년, 다문화. 자원자 여섯 분을 정해서 이분들이 머리띠를 이마에 두르고 교실을 돌아다니게 했다. 그러면 다른 선생님들은 머리띠에 적힌 사람을 생각할 때 떠오르는 첫 단어나 문장을 포스트잇에 적어서 그 띠를 두른 선생님 몸에 붙였다. 딱지 붙이기가 다 끝난 뒤 머리띠를 두른 교사들이 앞에 나와서 자기 몸에 붙은 포스트잇을 하나씩 읽었다.

이 과정에서 딱지를 써서 붙인 사람들은 자신이 마음속으로 어떤 생각을 먼저 떠올렸는지 살피게 되었고 다른 이들은 무엇을 써 붙였는지를 알게 되었다. 생각보다 공통점이 많았는데, 공통점은 사회적인 고정관념이었다. 선생님들은 자신이 하는 생각도 사회적인 고정관념을 재생산하고 있다는 것을 스스로 확인했다. 머리띠를 두른 교사들은 그 순간만큼은 '그 사람'들이 되었다. 그분들은 이렇게 불린다는 것이 어떤 느낌인지를 이야기해 주었다.

두 해 전인가, 전남교육청에서 교사 연수를 할 때였다. '가출 청소년' 머리띠를 두른 선생님이 자신의 몸에 붙은 딱지에 대해 발표했다. 그분은 짧은 시간에 딱지들을 비슷한 것끼리 분류까지

했다. 그분은 이렇게 말했다.

제 몸에 붙은 딱지를 읽어 보니 세 그룹으로 나눌 수 있었습니다. 첫
번째 그룹은 '집에 돌아가라, 왜 집 나와서 고생이니'라는 것입니다. 나
도 학생에게 그렇게 이야기했을 것 같습니다. 그런데 집이 어떤 상황인
지, 왜 나왔는지를 모르면서 하는 조언이 정말 아무 도움이 되지 않는다
는 것을 알았습니다. 하나 마나 한 이야기이거나 오히려 상처가 되는 이
야기입니다. 둘째 그룹은 '겁난다, 무섭다'입니다. '욕하지 마라, 침 뱉지
마라'는 딱지도 있습니다. 그런데 이걸 보니까, 욕하고 싶어졌습니다. 침
뱉고 싶어졌습니다. 사람들이 나를 그렇게 보면, 보란 듯이 그렇게 행동
하고 싶을 것 같습니다. 화가 났습니다. 셋째 그룹은 '밥은 먹었니, 춥진
않니'였습니다. 이 딱지를 읽는데 제가 괜히 눈물이 났습니다. 그리고 나
는 앞으로 이들을 어떻게 대해야 할지 생각하게 되었습니다.

나는 가끔씩 그 선생님이 한 말을 생각한다. 욕할 것 같다고 보
니까 욕하고 싶어지고, 침 뱉을 것 같다고 보니까 침 뱉고 싶어지
는 마음. 그리고 한 집단에 대해 위험할 것 같다고 자꾸 말하면 정
말 위험해지지 않을까 하는 우려.

231

글로벌 인재
혹은 통일 역군

북한 출신 청소년이나 다문화 청소년의 이미지가 너무 부정적이라는 지적이 있자, 정부는 이 집단에서 긍정적인 모델을 찾아내는 사업을 했다. 이들이 가진 '결핍'이 아니라 '강점'에 주목하는 지원이 생겨났다. 글로벌브리지 사업은 그 가운데 하나였다. 다문화 학생 가운데 인재를 찾아내는 것으로, 주로 대학의 영재교육원에서 맡아 했다.

이들의 결핍을 채워 주는 것을 넘어서, 그들이 가진 강점을 충분히 개발할 수 있도록 도와주는 것은 좋은 일이다. 뛰어난 재능이 있는데 한국 사회에 대한 정보가 부족해서, 가정 형편이 어려워 뒷받침해 줄 수 없어서, 부모가 북한 출신 주민이나 외국인이기 때문에 기회를 갖지 못해서는 안 된다. 그런데 북한 출신 학생이기 때문에 다문화 학생이기 때문에, 더 좋고 특별한 교육 기회를 갖게 하는 것은 사회적 논의가 필요할 것 같다.

•

한양대학교 글로벌브리지 사업에 참가했던 수지 아빠가 한 질문에 나는 제대로 답을 못했다. 교육부에서 지원하는 사업이라는 것을 듣고 영국인인 그는 이렇게 물었다.

"우리 아이에게는 너무 좋은 일이긴 한데, 한국 정부는 이 아이들에게 왜 이런 지원을 하나요?"

이 아이들이 글로벌 인재로 성장하는 것이 우리 사회에도 도움이 되기 때문이라고 답한 것 같은데 뒤끝이 영 찜찜했다.

그때 대학마다 서른 명쯤 되는 다문화 인재를 모집해야 했는데, 아이들을 모으는 것이 쉽지 않았다. 결국 성실하고 평범한 학생들이 모였는데, 그들이 훗날 우리 사회에 기여하는 글로벌 인재가 될지는 장담하기 어려웠다. 사실을 말하자면 단지 다문화 학생이기 때문에 참가한 학생들도 많았고, 아이들 중에는 학교에서 기초 학습이 모자란 아이들을 위해 하는 다문화 멘토링을 받는 아이들도 있었다. 결핍에 대한 지원이 실제로 결핍 여부와 상관없이 다문화 학생이면 다 받을 수 있는 것처럼, 재능을 지원하는 것도 그렇게 되었다. 정책 방향은 바뀐 것 같지만, 결국 또 '집단'을 지원하는 게 되어 버렸다. 다만 새로운, 긍정적인 이미지를 입혔다. 글로벌 인재.

글로벌브리지 사업에서 우리는 '언어' 부문 교육을 맡았다. 과학, 예체능, 글로벌 리더십 부문 교육을 맡은 대학들도 있었다. 우리는 언어교육으로 영어와 한국어를 가르쳤다. 아이들이 글로 벌 환경에서 자신의 능력을 펼칠 때 필요한 게 이 두 언어라고 생각했다. 그런데 사업 평가를 받을 때마다 늘 이런 비판을 받았다. "왜 이중 언어 교육을 하지 않느냐?" 중국어나 일본어, 러시아어 같은 엄마나 아빠 나라의 말을 가르치라는 것이다(사실 부모가 미국 인과 영국인인 학생이 네 명 있어서 굳이 변명하자면 영어와 한국어 이중 언어 교육을 하긴 한 건데 사람들 머릿속에 있는 이중 언어 교육은 이게 아닌 것 같았다). 부모들 나라로 치면 나라가 열 개도 넘는데 어떻게 그 언어를 다 가르칠 수 있는지도 모르겠고, 다문화 청소년과 언어 하면 자동적으로 이중 언어 교육(한국어와 부모의 모국어)을 떠올리는 것도 납득하기 어려웠다.

다문화 가정 아이들은 두 문화를 경험할 수 있어서 두 개의 언어를 배우는 게 쉬울 수 있다는 것을 충분히 이해한다. 그것이 아이들의 자산이 되리라는 것도 안다. 그런데 그것은 가정에서 자연스럽게 익히게 되는 사적인 영역의 문제인 것 같다. 그게 국가가 나서야 할 문제인지 잘 모르겠다.

예를 들면 중국인 엄마가 있지만 중국어를 잘 못하는 아이에게 국가가 중국어 교육을 시켜야 할까, 혹은 중국인 엄마가 있어서 중국어를 잘하는 아이들에게 국가가 중국어를 더 잘할 수 있도록 지원해 주는 게 필요한 일일까. 미국에 사는 한국인과 미국인이 국제결혼을 했다고 치자. 그 가정의 아이가 한국어를 잘 못한다고 해서 공공 기관이 나서서 한국어를 가르치진 않을 것 같다. 또는 그들이 한국어를 잘한다고 해서 한국어를 더 잘할 수 있도록 지원하지도 않을 것 같다. 그것은 각 가정의 몫이고 그들의 선택이다. 한국인 커뮤니티가 한글학교를 운영할 때 공공 기관이 커뮤니티의 활동을 간접적으로 지원할 수는 있을 텐데, 정부가 나서서 그 일을 하는 것은 아무래도 어색하다.

그렇지만 우리나라는 정책으로 이중 언어 교육을 강조하고 예산을 들여 장려한다. 혹시 이것도 우리가 이 집단을 보고 있는 전형적 시각이 아닐까. 어머니가 베트남 사람인 수진이가 다문화 인재가 되려면, 뭔가 그 아이가 베트남과 한국을 잇는 다리 역할을 하는 사람이 되어야 할 것 같은 생각 말이다.

북한 출신 청소년을 보는 시각에도 비슷한 점이 있다. 우리는 때때로 그들에게 통일 역군이라는 역할을 맡기려 한다. 북한과 남한을 두루 경험하고 남한에서 교육을 받았기 때문에 통일이 되면 남북한을 잇는 중요한 역할을 하기를 기대한다.

북한 출신 주민을 '먼저 온 미래'라고 하는 사람도 많다(이 표현은 오랫동안 북한 출신 청소년을 지원하는 일을 하는 윤상석 선생이 10년도 훨씬 전에 처음 썼다. 이 자리를 빌려 밝힌다). 나도 이 표현을 좋아한다. 이들이 미래에 통일된 한반도에서 함께 살 수많은 북한 사람보다 앞서서 남한으로 온 것은 맞다. 그래서 먼저 온 미래다. 그리고 우리가 이들과 남북한이 함께 사는 연습을 조금이나마 미리 해 볼 수 있다는 점에서, 미래 사회의 한 조각이 먼저 온 것도 맞다. 그런 뜻에서 나는 먼저 온 미래라는 말을 통일을 준비하면서 우리가 무엇을 배우고 익혀 나갈지 성찰하게 하는 말로 이해한다(윤 선생도 나와 같은 생각에서 이 말을 만들었다고 믿는다). 나는 이 표현을 좋아하지만 이들에게 먼저 온 미래라는 사명감을 갖게 하고, 통일 한국의 여명을 밝히라는 기대를 담아 이 말을 쓰고 싶지는 않다.

그들이 통일 역군이 될지 말지, 자신이 먼저 온 미래라는 사명감을 가질지 말지는 스스로 결정할 문제이지 우리가 그러라고 떠맡길 수 있는 문제가 아니다. 우리가 "민족중흥의 역사적 사명을 띠고 이 땅에 태어난" 것이 아니듯이, 이들도 "한반도 통일의 역사적 사명을 띠고 이 땅에 온 게" 아니다. 그들은 더 나은 삶을 찾아 이곳에 왔을 뿐이다. 나는 그들도 평범하게 살고 싶어 하는 우리와 같은 사람으로 봐 주었으면 좋겠다. 그렇게 해야 그들도 온전히 한 개인으로 우리 사회에 뿌리내릴 수 있을 것 같다. 과도한 짐을 지우지 말자. 나는 이들이 탈북을, 다문화를 잊고 사는 시간이 더 많았으면 좋겠다.

세 번째 그림

어떤 일을 하는 궁극적 목적이 그 일이 더 이상 필요하지 않는 상태를 만드는 것인 경우가 있다. 누군가를 도와주는 일도 그런 일 가운데 하나인 것 같다. 타인의 지속적인 도움이 없어도 혼자서 잘 살 수 있도록 해 주는 것, 자식을 키우는 일을 포함해서 모든 돌보는 행위는 어느 정도 그런 성질을 가지고 있는 것 같다. 그러려면 지금은 도움이 필요한 약한 존재가 결국 혼자 설 수 있는 힘을 가지도록 도와줘야 한다.

북한 출신 청소년이든 다문화 청소년이든 나를 포함해서 그 누구든 살다 보면 어쩔 수 없이 다른 사람의 도움이 필요한 순간이 있다. 사는 게 무섭고 무엇을 어떻게 해야 할지 모를 때, 세상 천지에 나 혼자인 것처럼 막막할 때, 그때는 다른 이에게 도와 달라고 이야기해야 한다. 그땐 곁에 있는 사람들이 그를 도와주어야 한다. 그러면 나중에 자신이 그런 처지에 있을 때 또 누군가가 자

·

기를 도와줄 것이다.

북한 출신 청소년이나 다문화 청소년을 지원할 때도 그랬으면 좋겠다. 그를 '언제나' 도움이 필요한 '집단'이 아니라 '지금' 도움이 필요한 '개인'으로 보는 것이다. 불쌍하고, 차별받고, 잠재적으로 위험하기도 한, 그러면서 동시에 통일의 역군이나 글로벌 인재이기도 한 집단의 일원이 아니라, 삶의 어느 순간 누군가의 도움이 절실한 한 개인으로 봐 주면 좋겠다.

지난해 우리 집 공사를 할 때, 나는 영국에서 사는 데 자신이 없었고 주눅 들어 있었다. 생활에 필요한 정보도 잘 몰랐다. 우리 집 공사를 해 준 북한 사람들은 나보다 훨씬 마음 편하게 사는 것 같았다. 그들은 여기 온 지 10년 가까이 되었고, 이미 이곳에서 사는 데 익숙해져 있었다.

공사하면서 나온 폐기물을 버려야 하는데, 어떻게 해야 하는지 그분들이 다 알려 줬다. 가전제품 쓰레기는 시청에 연락하면 가져가고, 건축 폐기물은 시에서 운영하는 대형 쓰레기 버리는 곳으로 가져가면 된다고 했다. 그러면서 이렇게 이야기했다. 우리가 주민세(Council Tax)를 내기 때문에 시는 당연히 이런 일을 해야 한다고, 여기서 이건 세금 내는 사람(Tax payer)의 권리라고. 그들은 선배 이민자가 새로 온 이민자에게 노하우를 전달해 주듯이 내게 유용한 정보를 일러 주었다.

•

시민이 세금을 내면 정부는 위탁받은 서비스를 시민들을 위해 제공해야 한다는 설명을 들으면서 어이없게도 그건 남한 사람들이 북한 사람들에게 알려 주어야 자연스러울 것 같다는 생각이 잠깐 들었다. 그들이 내게 시민의 의무와 권리에 대해 이야기하는 것을 어색하게 여기는 나한테 피식 웃음이 나왔다.

그 시절 도움이 필요한 존재는 우리였다. 나는 물론이고 오랜 한국 생활을 정리하고 귀국한 남편도 어리바리했다. 그때 그분들이 여러 가지로 우리를 도와줬다. 청진에서 온 젊은 김 선생이 내게 알려 준 정보들은 너무 유용해서 지금도 그가 알려 준 곳에서 쇼핑을 하고, 그때그때 필요한 일이 있으면 시청에 연락하고, 자잘한 집수리는 내 손으로 한다. 한국에서도 남한 사람과 북한 사람이 그냥 이렇게 살 수 있으면 좋겠다. 늘 지원을 받아야 하는 북한 사람과 지원해 주는 남한 사람이 아니라 누구나 도움을 주고 도움을 받을 수 있는 독립적인 개인으로 살면 좋겠다.

지원하는 것에 대해 이야기하다가 여기까지 왔다. 지원에 관한 이야기는 늘 조심스럽다. 이런 이야기를 괜히 해서 필요한 예산이 깎일까 봐, 이들을 돕는 많은 이의 노력을 무시하는 게 될까 봐, 내가 이 일을 떠난 후에 변화된 것이 많은데 그걸 잘 이해하지 못해서 괜한 이야기를 한 것일까 봐 걱정이 들기도 한다. 그래도 나는 우리가 이들을 지원하는 방식과 논리, 그리고 일어날 수 있는 결과에 대해 같이 생각해 보는 것은 필요하다고 믿는다.

나는 우리가 이들을 '집단'으로 지원하는 방식이 그리고 이 집단을 계속해서 지원해 주어야 한다는 논리가, 결과적으로 이들에 대한 고정관념을 강화하고, 개개인을 더욱더 집단 속에 가두어 놓을 수 있다고 생각한다. 그리고 이런 지원 방식이 이들을 건강한 개인으로 다시 설 수 있게 돕는 것이 아니라, 집단의 그늘에 모여 자신들이 차별받는 존재이고 도움이 필요한 존재라는 것을 오래도록 주장하며 오히려 지원을 더 많이 요구하게 만들 수도 있다는 것을 우려한다.

그리고 이렇게 집단으로 묶이지는 않지만 여러 어려움을 겪고 있는 취약한 개인들은 정작 눈에 띄지 않아서 올라설 나무 상자 하나 얻지 못하는 것은 아닌가 하는 걱정도 든다. 그런 상태는 우리가 모두 건강하게 같이 사는 게 아닌 것 같다.

물론 어떤 집단은 그들이 공통적으로 한 어떤 경험 때문에 더 어려울 수 있고, 그래서 집중적인 지원이 필요할 수 있다. 그럴 때도 우리가 주목해야 하는 것은 '어려움'이지, '집단'이 아니었으면 좋겠다. 그러다 보면 집단 안에서도 어려움을 겪지 않는 사람들과 집단 밖에서도 어려움을 겪는 사람들이 보일 거다. 우리는 어려운 것, 필요한 것을 도와야 하고 지원해야 한다. 누구도 소외시키지 말고. 그런 사회가 되면 내 자신이 취약해졌을 때도 내가 도움을 받을 수 있을 거라는 믿음이 생길 거다. 지금 내가 생각할 수 있는 소박한 제안은 이 정도이다. 더 많은 사람이 머리를 맞대면 분명 더 좋은 생각이 모아질 거다.

앞에서 이야기한 평등과 공평에 대한 두 그림 다음에 세 번째 그림이 있다. 야구 경기가 보고 싶어서 야구장 밖에 있는 아이들. 이번에는 키가 제각각인 아이들이 모두 나무 상자 없이도 경기를 구경할 수 있다. 야구장 안과 밖을 가르는 나무 담장이 성긴 철조망으로 바뀌었기 때문이다. 나무 상자 없이 제자리에서 야구장 안을 들여다볼 수 있다. 거기엔 이런 설명이 붙어 있다. 어떤 아이들에게도 지원이 필요 없다. 왜냐하면 불공평한 원인을 제도적으로 바로잡았기 때문이다.

키 큰 아이만 볼 수 있는 나무 담장을 없애고 누구나 볼 수 있는 철조망 담장을 세우는 사회가 구체적으로 어떤 모습인지, 어떻게 만들 수 있는지에 대해서는 많은 사람들의 상상력이 필요할 거다. 이때 '사회적 약자'의 이야기를 듣는 것은 도움이 된다. 기존 사회질서에서도 불편 없이 살았던 사람들은, 키가 커서 담장 안이 잘 보였던 사람들은, 잘 모른다. 나무 담장에 키가 안 닿아서 까치발을 세우거나 제자리에서 뛰어 본 사람만이 담장이 불편하다는 것을 안다.

내가 겪은 불편함은 아주 사소한 것이다. 2004년에 두 아이를 쌍둥이 유모차에 태우고 한국에 돌아왔을 때 처음 잠깐은 친정이 있는 분당에 살았다. 아이들을 유모차에 태우고 하염없이 돌아다 녔던 습관 때문인지 11월인데도 애들을 꽁꽁 싸서 밖으로 나갔 다. 그런데 며칠 나갔다가 포기했다. 날이 추워서가 아니라 도로 턱을 끝도 없이 만났기 때문이다. 큰길은 그래도 경사로가 있었 는데, 조금만 골목으로 들어가면 인도는 죄다 높은 턱 위에 있었 다. 길을 건널 때도, 골목길과 찻길을 가로지를 때도 유모차 앞바 퀴를 턱에 걸쳐 놓은 채 손잡이를 힘주어 잡고 유모차를 들어 올 려야 했다. 아이 둘이 타고 있는 유모차는 제법 무거웠다. 잘사는 분당. 하지만 거기서는 살고 싶지 않았다. 그러다가 군포시 산본 동에 집을 구해서 이사 왔다. 산본은 분당, 일산과 같이 만들어진 신도시이긴 한데 다른 곳에 비해서 규모가 작고 별로 개발된 곳 이 아니었다.

나는 이곳이 너무 좋았다. 유모차를 밀고 어디나 갈 수 있었다. 모든 도로, 모든 골목길, 모든 공공건물에 다 경사로가 있었다. 내 가 편해지니 주변이 보였다. 산본에는 유독 휠체어를 탄 사람들 이 많았다. 경사로가 있으니 누구나 밖으로 나올 수 있었다. 휠체 어를 탄 사람도, 유모차를 미는 사람도, 노인도, 잠시 다리를 다쳐 걸음이 불편한 사람도. 내가 야구장의 성긴 철조망 그림을 보았 을 때 생각난 건 누구나 다닐 수 있는 산본 거리였다.

우리 아이들이 다녔던 군포시 수리초등학교는 산 아래 있는 작은 학교였다. 이 학교는 통합 교육을 해서 지적장애 학생들이 같이 다녔다. 일반 학급에서 같이 공부를 하고, 필요할 때면 '사랑반'에서 공부하기도 했다. 애린이 반의 은이도 사랑반 친구였다.

졸업식 날 은이 엄마가 학부모 대표로 인사를 하며 딸을 입학시키기 전에 학교를 찾아왔던 이야기를 했다.

저는 아이를 학교에 보내기 전에 정말 많이 망설였어요. 우리 아이는 잘 적응할 수 있을까, 학교에 폐가 되지는 않을까, 특수학교에 보내는 게 낫지 않을까. 그래서 교장 선생님을 만났죠. 교장 선생님께 "혹시 아이가 힘들게 하면 저한테 연락 주세요. 그럼 와서 데려가겠습니다" 하고 말씀드렸어요. 그때 교장 선생님이 이렇게 말씀해 주셨어요. "어머니! 교육은 이 아이의 권리입니다. 그리고 그 권리는 제가! 우리 선생님들이! 지켜 드립니다. 그러니 걱정하지 마시고 집에서 기다리세요. 맛있는 거 만들어 놓고 은이 맞아 주세요." 우리 아이는 6년 동안 학교를 정말 잘 다녔고 오늘 졸업합니다.

애린이가 입학할 때 계셨던 류희순 교장 선생님 이야기였다(그날 졸업식에 안 계셔서 이 이야기를 들으셨을까 싶다. 누군가 전해 드렸기를). 그날 졸업식장에 온 학부모들이 다 눈물을 쏟았다. 그리고 우리는 우리 아이들이 얼마나 좋은 학교에 다녔는지 알 수 있었다.

교육이 아이의 권리라고 굳게 믿는 교장 선생님과 선생님들이 계신 학교, 그건 은이뿐만 아니라 모든 아이들에게 좋은 학교였다. 생김새가 다른 우리 아이들도 어떤 차별도 받지 않았고, 이 학교로 전학 온 내 친구 아들도 ADHD 약을 끊고 그런대로 편안하게 지낼 수 있었다. 교육이 아이의 권리라고 믿는 교장 선생님과 선생님들이 계셔서 이 학교는 '모든' 아이들이 어려움 없이 다니는 곳이 되었다. 나는 이 학교에 북한 출신 학생이나 베트남 어머니를 둔 다문화 학생이 다녔어도 여느 아이들과 마찬가지로 잘 지냈을 것이라고 믿는다.

북한 출신 청소년 지원 업무를 하기 전까지 나는 우리 사회가 어려운 청소년을 돕는 일에 얼마나 허술한지 잘 몰랐다. 일을 하면서 보호자 없이 한국에 온 '무연고 청소년'들이 갈 데가 우리 사회에 별로 없다는 것을 알았다. 여러 가지 이유 때문에 가족과 함께 살 수 없는 아이들도, 학교에 적응하지 못한 아이들도 갈 수 있는 곳이 마땅치 않았다. 우리 사회에 위기 청소년을 돕는 지원 시스템이 잘되어 있었으면 북한 출신 청소년도 그 틀 안에서 필요한 도움을 받을 수 있었을 거다.

이제 북한 출신 청소년을 돕는 일을 그만두고 나니 나는 자꾸 두터운 어려움을 겪고 있다는 다른 아이들이 떠오른다. 그래서 그가 누구든 어느 집단에 속해 있든 상관없이 누구나 보호받고 성장할 수 있게 지원해 주는 제도는 무엇인지, 그것은 어떻게 만들어야 할지에 대해 자꾸 말을 걸어 보고 싶다. 혹시 그런 것이 있다면, 좀 먼 길을 돌아가더라도 북한 출신 청소년 혹은 다문화 청소년 개인에게도 훨씬 좋은 도움이 될 것 같기 때문이다.

•

이야기로
산다

이 책을 시작할 때 나는 마지막 장을 쓸 때쯤 되면 내 자신이 "이제는 돌아와 거울 앞에 선 누이" 같은 상태가 되어 있을 줄 알았다. 새로운 사회에서 그런대로 평온한 마음으로 살면서, 자유로운 개인들이 타인을 존중하며 조화롭게 사는 사회를 만들기 위해 무엇을 해야 할지에 대해서도 제법 근사한 제안을 할 수 있을 줄 알았다. 하지만 나는 아직 천둥 치는 벌판에 있는 것 같다.

나는 지금 이곳 생활에 적응하는 중이다. 별로 행복하지 않은 날이 많다. 상황 탓을 하자면 할 말이 없지는 않다. 나이 들어서 낯선 곳에 정착하는 게 쉽지 않다. 아이들보다 훨씬 적응력이 떨어진다. 내가 한국 사람으로 엄청 성실하게 살아온 시간이 50년이다. 쉽게 바뀌기는 어려울 듯싶다. 게다가 몸도 갱년기 한복판에 있다. '아프니까 갱년기다' '사춘기 자식을 이기는 게 갱년기 엄마'라는 말들도 있던데, 그만큼 감정의 기복도 심하다. 한국에서는 전문직 여성이었는데 하루 종일 주부로 사는 것도 때때로 나를 우울하게 한다. 사회적인 관계가 다 사라진 기분이다.

그리고 남편이 아프다. 영국으로 다시 온 데는 아이들 교육 문제도 있지만 토니가 파킨슨병 진단을 받은 것도 중요한 이유가 되었다. 그는 여러 이유에서 늘 아팠는데 이번 것은 피할 수가 없다. 더 나빠질 것이라는 예측이 아직 오지도 않은 미래의 불행을 미리 체험하게 한다. 의사 말대로 우리가 할 수 있는 가장 중요한 일은 인간됨(Humanity)을 잃지 않는 것일 텐데, 가끔씩은 그게 도대체 무엇인지 혼란스럽기도 하다.

씩씩하게 잘 살 수 있을 줄 알았는데 생각과 달리 몸과 마음이 움츠러들 때마다 내 자아가 참으로 허약하다고 생각했다. 그리고 개인의 자아를 이렇게 약하게 만든 한국 사회를 탓하고 싶었다. 제 이름 없이 일련번호로 불렸던 학창 시절부터 우리는 고유한 '나'로 자랄 수 있게 격려받지 못했다고, 일상의 집단주의는 우리 마음을 전방위에서 구속했다고, 집단 안에서 개인의 이름을 잃어버린 것은 다문화나 탈북만이 아니라 우리 자신도 그렇다고. 우리 자신이 그렇기 때문에 타인을 그렇게 보는 것이라고 말하고 싶어졌다.

영국 저널리스트가 한국 사회에 대해 쓴 책 제목《기적을 이룬 나라 기쁨을 잃은 나라》처럼 우리는 국가가 호명하는 대로 묵묵히 열심히 일해서 잘살게 되었지만 개인이 누려야 하는 삶의 기쁨은 몽땅 잃어버렸다고, 사회가 시키는 것을 너무 성실히 따르는 바람에 정작 자아의 힘을 기르지 못한 내가 서구 개인주의 사

249

회에서 생고생을 하고 있다고 쓰고 싶었다. 그게 결론이 될 뻔했다. 찜찜했다. 틀린 얘기는 아닌데, 그렇게 말한들 내 기쁨이 돌아오지는 않았다. 기쁨을 다시 찾고 싶었다.

나를 다그치지 말고, 한국 사회를 야단치지 말고, 내 삶을 다시 돌아보기로 했다. 내 삶에서 중요했던 시간, 내가 자랑스럽게 여기는 기억, 반짝거렸던 순간들을 생각해 냈다. 내가 나다웠던 몇 장면이 떠올랐고 별로 관계가 없는 다른 기억들도 생각났다. 시간 여행을 하는 기분이었다. 그러다 보니 회색빛 마음 저 아래에 있는 상자가 반짝 열리면서 내 이름이 적혀 있는 빛깔 고운 구슬들이 보이는 것 같기도 했다. 결혼 이주 여성들이 자신을 돌아보는 글을 쓰면서 지금 이곳의 나를 잠시 접어 두고 젊은 날의 자신을 돌아본 게 격려가 되었다는 것을 나도 믿어 보기로 했다. 아무래도 나는 다시 내 이야기로 돌아가야겠다. 그러다 보면 내가 누구인지, 내 이름을 불러 준다는 것이 무엇인지, 나답게 사는 게 어떤 것인지 좀 더 알게 될지도 모르겠다.

◆

북한 교육에 대해 논문을 쓰겠다고 생각한 것은 그날의 이상한 느낌 때문이었다.

1989년에 통일부 북한자료센터가 문을 열면서 제한된 공간에서나마 북한 출판물을 일반 시민이 합법적으로 볼 수 있게 되었다. 겁이 많은 나는 1986년에 대학에 들어간 뒤로 북한 자료는 물론이거니와 온갖 어이없는 이유로 금서가 된 많은 책들을 슬쩍 보기만 해도 가슴이 콩닥거렸다. 한번은 아무 생각 없이 가방에 넣었던 파울루 프레이리의 《페다고지》가 혹시라도 불심검문에 걸릴까 봐 광화문 해태상 뒤에 몰래 버린 적도 있다. 그런데 조금 있으면 내가 보겠다고 신청한 북한 책들을 직원이 서가에서 뽑아서 가져다줄 거고 나는 햇빛 잘 드는 열람실에서 그 책을 읽을 것이다. 1990년 5월, 나는 대학원생이었다.

직원이 들고 나온 책 세 권은 제법 두꺼웠다. 처음 봤다, 북한 교과서를. 저 정도로 두꺼운 책을 건네받으려면 팔에 이 정도 힘을 주어야겠다고 생각하고 손을 내밀었는데, 툭 닿는 무게감이 형편없이 가벼웠다. 투박하고 거친 종이 탓이었다. 그런데 그 가벼운 물체가 손바닥에 툭 닿는 순간 심장이 쿵 떨어졌다. 그 감정이 뭐였는지 잘 모르겠다. 두려움인 듯한데 그게 어릴 때 뒷산에서 빨간 삐라를 처음 봤을 때의 두근거림인지 대학교 때 정문에 빽빽이 줄 맞춰 서 있던 백골단의 은빛 헬멧과 청재킷이 주었던 공포인지 가늠이 안 됐다. 가슴이 쿵 내려앉을 때의 무게감은 무거울 거라고 생각했던 책의 두께보다도 훨씬 더 묵직했다.

자리에 앉아서 인민학교 국어 교과서를 읽기 시작했다. 끝도 없이 나오는 위대한 수령과 경애하는 지도자 동지의 일화들. 황당하기까지 한 무용담과 아이들에게 주는 알량한 교훈을 읽으면서 마음속이 답답해졌다. 경애하는 지도자 김정일 동지가 어릴 적부터 일본 제국주의에 대해 얼마나 불타는 적개심을 가졌는지를 보여 주는 위대한 일화 하나. 백두산 밀영에 있을 때 어린 지도자 동지는 눈사람을 만들어 일본군이라는 팻말을 걸고 발로 차서 부숴 버렸단다. 그러고 나서도 분이 가시지 않아 어머니에게 끓는 물을 달라 해서 녹여 버렸단다. 이 얼마나 위대한가……. 이쯤에서 나는 잠시 책을 덮고 창문 밖을 보며 심호흡을 해야 했다. '교육'과 '교양'의 이름으로 그들은 아이들에게 무슨 '짓'을 하는 건가 하는 생각에 화가 났다.

집으로 돌아오는 길에 생각했다. 나는 왜 처음에 두려웠는지, 두려움의 원천은 무엇인지, 나는 왜 화가 났는지, 왜 그들이 하는 일이 교육이 아니라고 생각했는지, 나는 교육이 무엇이라고 생각하는지, 그렇다면 내가 받았던 교육은 교육이라고 할 만큼 합당한 것이었는지. 질문만 가득해졌다.

그날 이후 거의 30년이 지났다. 석사·박사 논문을 쓰고, 북한 교육에 대해 강의를 하고, 북한에서 온 사람들의 경험을 듣고, 또 내 자신이 학부모가 되면서 이제 그때 품었던 질문들에 대해서는 어느 정도 답을 할 수 있을 것 같다. 그런데 이 질문을 쫓는 동안 나는 다른 것을 좀 더 잘 알게 된 것 같다. 내가 무엇에 마음을 뺏기는지, 무엇이 나를 움직이게 하는지.

　아무래도 나를 움직이는 것은 학문적 열정이나 냉철한 탐구 정신은 아닌 것 같다. 누군가 내가 쓴 학위논문이 어떤 이론적 기여를 했는지 물어보면 별로 할 말이 없다. 이젠 논문에 뭘 썼는지도 가물가물하다. 대신 이 일이 어떻게 시작되었는지, 내가 그날 광화문우체국 6층 북한자료센터에서 어떤 기분이었는지를 말하라면 그날 날씨까지 묘사할 수 있다. 북한을 연구하면서 알아낸 그 사회의 특징을 설명해 달라고 하면 그 자리를 피하고 싶지만, 연구한다고 다니면서 어떤 사람들을 만났는지 그들하고 어떤 일이 있었는지 말하라고 하면 가야 하는 사람을 쫓아가면서까지 얘기하고 싶어진다. 아무래도 내 마음을 뺏고 나를 움직이는 것은 '이야기'인 것 같다. 그동안 북한을 연구하는 언저리에 있으면서 여러 흥미로운 이야기들을 만났다. 분단은 이 땅에 사는 많은 사람들의 삶에 그림자를 드리우고 있다는 것을 알았다.

◆

　비전향 장기수 김석형 선생을 만난 것은 1994년 가을이었다. 나는 박사과정 학생이었고, '구술사 연구'라는 수업을 듣고 있었다. 한 학기 과제를 하기 위해 시작했는데 구술 작업은 결국 7년 뒤 책으로 마무리되었다. 그는 2000년 김대중 대통령과 김정일

국방위원장의 6·15 남북공동선언으로 그해 9월 북한으로 돌아갔고 나는 2001년에 그의 이야기를《나는 조선노동당원이오!》로 펴냈다.

700쪽이 넘는 이 책은 그가 태어난 1914년부터 2000년 북한에 돌아갈 때까지 일대기를 정리한 것이다. 식민지 시기와 해방 뒤 북한의 사회주의 개혁 과정이 잘 나와 있다. 1960년대 이후부터는 북한 정치 공작원으로 남한에 와서 감옥에서 지낸 이야기가 담겨 있다. 역사학자들은 가끔 이 책을 사료로 쓰기도 하는 것 같다. 그런데 정작 정리를 한 나는 역사적 사건들이 별로 기억나지 않는다. 대신 내가 간직하고 있는 것은 그 일을 하면서 사진처럼 내 마음속에 각인된 어떤 장면들이다. 그 이야기를 2004년에 잡지('북한으로 간 비전향 장기수가 끼워 주었던 반지 이야기', 〈민족화해〉 2004. 9. 10)에 썼다. 오래전 글이지만 지금 쓴다 해도 크게 다르지 않을 것이다. 길지만 여기에 옮긴다.

이상(李箱)은 "비밀이 없는 이는 가난하다"라고 했지만 가슴속에 묻어 둔 이야기를 꺼내지 못하는 사람만큼 고독한 이가 있을까 싶다. 내가 그를 만났을 때 그는 고독했는지도 모른다. 감옥에서 만 30년을 보내고 나온 여든한 살 노인은 스물일곱 살 대학원생에게 자신의 삶을 풀어놓기 시작했다. 1994년의 일이다.

비전향 장기수들은 보호 관찰법 때문에 감옥에서 나온 뒤에도 자유롭지 못하다. 담당 형사가 찾아오는 게 달갑지 않아서인지 김 선생은 약속한 손님이 아니면 문을 열어 주지 않았다. 낮에는 인기척을 삼가는 것 같았고 때론 신발을 안에 들여놓기도 했다. 그런데 그의 이야기를 들으러 일주일에 한 번 그의 집을 들를 때마다 그 무거운 현관문은 늘 보일락 말락 빠끔히 열려 있었다.

그는 소란스럽게 나를 반기지 않았다. 삐걱하고 현관문이 소리를 냈는데도, 내가 작지 않은 소리로 "선생님, 저 왔어요" 하고 인사했는데도 그는 늘 낮은 소반을 앞에 두고 못 들은 척 앉아 있었다. "선생님!" 하고 다시 한 번 부르면 마치 그제야 알아챈 사람처럼 한 박자를 쉬고 "……아, 이제 왔는가?" 하며 돌아보았다. 하지만 나는 현관문을 열 때부터 이미 알고 있었다. 5층까지 올라오는 계단 저편부터 그는 내가 오는 소리를 듣고 있었다는 것을. 소반 위에 있는 빽빽이 적힌 메모지들은 그가 오늘 말할 것을 이미 몇 번이고 연습해 보았다는 것을 보여 주었고, 네 귀를 세우고 단정히 놓여 있는 황금색 방석은 벌써 몇 시간 전부터 그 위에 앉을 사람을 기다리고 있었다고 말하고 있었다. 방은 늘 기다림으로 따뜻했는데 그는 늘 무심한 것처럼 어색한 연극을 계속했다.

점심을 지어 먹고 설거지를 한 뒤에 시작하는 구술 채록은 보통 세 시간을 넘겼다. 세 시간 동안 쉬지 않고 노인의 이야기를 듣는 것은 지루한 일이었다. 커피라도 진하게 타 먹으면 도움이 되겠다 싶어 물었다.

"혹시 커피 있나요?"

"노인들만 사는 집이라 그런 건 없는데 뭐 먹는 사람이 있어야지…….

왜? 필요한가?"

"아니에요."

다음에 찾아갔을 때 싱크대 위에는 이런 것들이 놓여 있었다. 맥심 커피, 동서 프리마, 설탕 그릇, 유리로 만든 커피 잔과 잔 받침 그리고 작은 숟가락 하나. 가스레인지 위에는 이미 손잡이가 달궈질 대로 달궈진 주전자에 물이 팔팔 끓고 있었다. 그리고 그는 그날도 짐짓 모르는 척 안방에 앉아 있었다. 소반 위에 메모지를 올려놓고, 황금색 방석을 반듯이 펴놓은 채.

그의 생애 기록을 마치기로 한 날, 나는 사진이라도 몇 장 찍을 생각으로 작은 사진기를 들고 갔다. 그날 나는 사진기는 쓰지도 못하고 그가 준비해 놓은 일련의 의식을 따라야만 했다. 그는 어색해하는 나를 데리고 동네 사진관으로 갔고, 그곳에서 나란히 앉아 사진을 한 장 찍었다. 그러고는 그 옆 금은방에 갔다. 미리 연락을 해 두었는지 주인은 아는 체를 했다. 손가락 크기를 재고는 순금 가락지를 맞췄다. 하나는 그의 것으로 다른 하나는 내 것으로. 그리고 허름한 동네에서 제일 번듯해 보이는 갈빗집에 가서 늦은 점심을 먹었다. 술도 한잔했던 것 같다.

금가락지를 찾는 날, 김 선생은 이렇게 말했다.

"이 선생 반지는 이 선생이 끼시오. 내 것은 내가 가지고 있으리다. 하나 부탁이 있는데 정세가 좋아져서 내가 평양으로 다시 갈 수 있다면 별문제가 아니겠는데 혹시 그전에 자연 수명이 다하게 되면 내가 어떻게든

이 반지를 이 선생에게 보내리다. 그러면 그동안 우리가 기록한 녹음테이프와 반지를 잘 가지고 있다가 기회가 되면 북의 우리 아이들에게 좀 전해 주오. 그래도 아이들이 아비가 어떻게 살았는지 알아야 하지 않겠소?"

그 뒤 나는 그가 그 반지를 끼고 있는 것을 보지 못했다. 그의 반지는 통 밖으로 나오지도 않고 책상 서랍 속에만 있어서 내 것은 흠집이 생기고 찌그러져서 낡은 반지가 되어 가는데도 반짝반짝 새것으로 빛났다. 나는 그즈음 자동차를 타고 평양에 그의 가족을 만나러 가는 백일몽을 자주 꿨다. 그의 음성이 담긴 100개쯤 되는 테이프와 녹취록, 그리고 분홍색 플라스틱 상자에 든 반지를 싣고서.

그는 2000년 9월, 기적처럼 가족에게 돌아갔다. 다음 해 봄에 나는 그의 뜻에 따라 그의 이야기를 책으로 냈고 마침내 한동안 지고 있었던 짐을 벗은 것처럼 홀가분해졌다. 때때로 그가 생각났는데 그때마다 생각지도 않은 장소에서 문득문득 그를 만났다.

대학원 학생들과 답사 여행을 갔다가 중국 투먼시(圖們市)의 한 허름한 상점에서 그를 봤다. 기념품으로 파는 북한 우표에 꽃다발을 받고 있는 그가 있었다. 북으로 간 비전향 장기수 63명의 얼굴이 담긴 기념우표에도 그의 얼굴이 보였다.

2002년에 영국으로 이주한 뒤 아이를 재워 놓고 깊은 밤 하릴없이 기웃거리는 한국 신문에서 이따금씩 그의 소식을 볼 수 있었고, 우연히 들

•

어가 본 영화 〈송환〉 홈페이지에서는 그의 목소리를 들을 수 있었다. 헤드폰을 끼고 수도 없이 들었던 그의 목소리. 그러다가 얼마 전 뜻밖에 이메일을 받았다.

그의 이야기를 책으로 내면서 나는 머리말 맨 끄트머리에 이렇게 썼다.
"다시 김석형 선생을 만날 수 있을까? 그분한테서 2000년 9월 이후 '북조선 생활'을 들을 기회가 다시 생길까? 그게 가능하다면 분단의 장벽을 넘나들었던 한 인간의 삶의 마지막 장을 쓸 수 있을 텐데."

나는 바랐지만 그것이 가능하리라고 생각하지 않았다. 그런데 그 마지막 장이 북에서 쓰인 모양이다. 그는 고향에 돌아가서 다시 자신의 삶을 글 쓰는 이에게 이야기했나 보다. 이번에 소반을 사이에 두고 황금빛 방석에 앉아 그의 이야기를 들은 이는 스물일곱 살의 남한 대학원생이 아니라 북한의 중견 소설가였다.

소식을 전해 준 원광대 김재용 교수 말에 따르면, 소설 맨 앞에는 구술을 바탕으로 소설을 썼고 이야기가 사실과 다름없음을 김석형 선생 본인이 확인했다고 적혀 있더란다. 나와 김 선생이 구술 작업을 함께한 걸 알고 있었던 김 교수는 평양의 호텔 방에서 이 소설을 읽으면서 깜짝 놀랐다고 한다. 이름은 밝히지 않았지만 교육학을 공부하는 남한의 여자 대학원생이 노인의 이야기를 들어 준 모습이 애틋하게 그려져 있고 마지막에 반지를 교환하는 장면이 나오는 것을 보고 아무래도 내 이야기인 것 같다고 했다. 그리고는 비전향 장기수를 소재로 하면서 이처럼 인간 사이의 관계와 로맨스에 착목할 수 있는 것은 자신이 좋아하는 작가 김삼복의 역량이라고 덧붙였다.

김 선생의 금반지. 그동안 까맣게 잊고 있었다. 김 교수에게 물었다.

"그래서 그 금반지는 어떻게 되었나요?"

"아내에게 끼워 주었답니다."

그의 아내 김옥희. 그는 자신보다 나이가 많고 혈압이 높았던 아내는 아마 죽었을 거라고 생각했다. 그런데 '통일 사업'을 위해 떠난 남편을 대신해서 아내는 아버지 없이 여섯 남매를 키우고 마침내 백발이 되어 돌아온 남편을 만났나 보다. 그리고 그것이 이 영화 같은 이야기의 마지막 장면인가 보다.

나는 그가 나를 기억하고 있는 것이 고마웠다. 왜 그는 고향의 소설가를 앞에 두고 내 이야기를 했을까? 그것은 아마 내가 그의 이야기를 오랫동안 들어 주었기 때문일 것이다. 구술사의 고전 《The Voice of the Past》(과거의 목소리)에서 톰프슨(Paul Thompson)이 구술에는 '치유적' 성격이 있다고 말한 것은, 말하는 과정에서 억눌러 놓았던 특정 기억들을 해방시키고 비로소 자신의 삶을 온전히 통합시킬 수 있기 때문이다. 기억하고 싶지 않은 것, 후회하는 것, 고통스러웠던 것, 증오했던 것, 그리운 것들이 마음결 구석구석에서 기어 나와 말로 표현되는 순간, 그 기억은 더 이상 사람을 지배하지 않게 된다. 듣는 사람의 역할은 단지 조용히 있어 주는 것뿐이다.

•

그를 만났을 때 나는 논리적인 비판이 세상에서 가장 매력적이라고 믿었다. 하지만 시간이 흐르면서 비평하고 논박하려는 날카로움을 접고 때로는 침묵하면서 가만히 고개만 끄덕여 주는 게 미덕이라는 것을 알게 되었다. 팔순이 넘은 노인이 살아온 삶의 굴곡과 깊이는 논리를 앞세워서 이해할 수 있는 것이 아니었다. 내 잣대가 이렇게 짧은데 어찌 그것을 들이댈 수 있단 말인가. 그는 때때로 내가 도저히 이해할 수 없는 정치적 견해를 말하기도 했다. 논박하고 싶었지만 주로 들었다. 내가 동의하기 어려운 생각도 그의 일부인 것을 어쩌겠는가.

그의 정치적인 자아만을 보고 비판했다면 그는 아버지로서, 아들로서, 남편으로서, 남자로서, 노인으로서의 모습을 진솔하게 드러내지 못했을 것이다. 그러면 나는 그가 지닌 여러 아이덴티티를 이해할 수 없었을 테고, 그를 내 나름대로 이름 지어 규정했을 것이다. 나는 그를 '의지의 화신'이나 '통일 일꾼'으로 떠받들지도 '간첩'이나 '김일성주의자'라고 매도하지도 않았다. 그는 의지의 화신이기도 통일 일꾼이기도 간첩이기도 김일성주의자이기도 했다. 하지만 그는 아내를 사랑한 남편이었고 아이들에게 미안해하는 아버지였으며 어머니를 그리워하는 아들이었다. 어느 모습이 그의 진짜 모습이냐는 물음은 어리석은 질문이다. 이 모든 것이 그를 이루고 있기 때문이다.

세대, 성별, 체제, 정치적 성향을 뛰어넘어 그가 나를, 내가 그를 애틋하게 생각할 수 있었던 것은 말하기와 듣기였다. 말하도록 하고, 또 그것을 들어 주는 것, 이 역시 세상에 화해와 평화를 가져오는 한 방법이리라. 세상에 이런 종류의 기억들이 많이 남았으면 좋겠다.

나는 남북문제를 생각할 때면 이따금씩 무대를 바꾸어 생각해 본다. 이런 방법은 한쪽에 치우치지 않고 생각하는 데 도움이 된다. 북에서 살게 된 남한의 한 노인이(그가 북파 공작원이든, 납북 어민이든, 월북 인사이든 상관없이) 자신의 삶을 있는 그대로 들어 주는 북의 젊은이와 우정을 나눈다면, 남한의 가족을 다시 만나길 갈구하던 그가 마침내 아내와 장성한 아이들을 만난다면, 그래서 자신의 삶을 상징하는 북에서 가지고 온 반지를 백발의 아내에게 끼워 준다면, 그가 살아온 이야기가 북과 남에서 각각 책으로 나온다면, 그리고 이런 일들이 남과 북에서 빈번하게 일어날 수 있다면, 그런 사회가 된다면 분단으로 찢겨진 사람들의 삶이 뒤늦게나마 조금이라도 봉합될 수 있으리라.

장롱 속에 넣어 두었던 반지를 다시 찾아 낀다. 이 반지는 하고 싶은 이야기가 많은 모양이다.

오래전에 쓴 글은 이렇게 끝났다. 다시 보니 나는 지난 세월 동안 별로 달라진 게 없는 것 같다. 나는 그때도 이야기를 좋아하고 말하고 듣는 것이 갖고 있는 힘을 믿었다. 또 한 가지 2004년에 이 글을 쓸 때 나는 지금처럼 영국에 살고 있었다. 갓난아기 린아와 역시 아기였던 큰아이 애린이를 겨우 재우고 생긴 틈을 붙잡고 쓴 글이다. 그 시절 결혼 이주 여성으로 잿빛 시간을 건넜다고 생각했는데 그렇지만은 않았나 보다. 나는 씩씩했고 부지런했다. 그리고 말하고 싶어 했다, 지금처럼.

◆

"그 후로 영원히 행복하게 살았다"로 끝나는 동화를 빼면 대부분의 이야기는 끝이 나지 않는 것 같다. 우리가 기억하는 한 이야기는 뜻하지 않은 방식으로 다시 우리를 찾아온다.

2006년 8월 〈한겨레〉 신문에서 김석형 선생의 부고를 읽었다. 출근길 전철에서였다. 14일에 돌아가서서 애국열사릉에 묻혔다고 했다. 2000년에 북한으로 돌아간 뒤 평양에서 잘 지내신다는 이야기는 누군가한테서 들은 적이 있었다. 송환된 비전향 장기수는 돌아가시면 모두 애국열사릉에 묻혔다. 아흔을 훌쩍 넘기고 크게 예우를 받으며 돌아가셨다. '호상이구나……' 하는 생각을 했다.

하필이면 그날 그 전화를 받았다. 여자분은 자신을 진실·화해를 위한 과거사정리위원회 조사관이라고 소개했다. 1962년에 반공법 위반으로 체포되어 조사받다가 숨진 고위 공무원 아무개 씨 (너무나 안타깝게도 이름이 기억나지 않는다) 사건을 맡았는데 그분의 사인을 조사하고 있다고 했다. 고인의 친구가 조사를 의뢰해서 사건 기록을 다시 보고 있는데, 그 공무원은 간첩을 만난 혐의로 체포되었고 조사받다가 자살한 것으로 되어 있단다. 그가 만난 간첩이 김석형이라고 했다.

그녀는 혹시 내가 이 사건과 관계있는 이야기를 들었는지 확인하고 싶다고 했다. 내 책을 이미 꼼꼼하게 읽은 뒤였다. 책에 담지 못한 다른 이야기가 있었는지 물었다. 나는 그가 말한 것은 모두 기록했다고, 다른 일은 아는 게 없다고 했다. 조사관은 책에 나오는 남한에서 1년 동안 함께 살았던 구 씨 여인도 수소문해 봤다고 했다. 승적 기록도 찾아봤지만 못 찾았다고 했다.

전화를 끊고 나서 마음이 계속 언짢았다. 김 선생이 남한에서 30년 동안 겪은 감옥 생활을 모르는 것도 아니고 그가 자신의 신념대로 살기 위해 감당해야 했던 고통이 얼마나 컸는지도 알지만 그는 어쨌든 애국열사릉에 묻혔다. 그런데 그를 만났다는 이유로 체포된 사람은 석연치 않게 죽었고 반세기 가까운 세월이 지난 지금도 그가 왜 어떻게 죽었는지 모른다. 그때 김 선생과 같이 살았던 여성은 같이 사는 남자가 위장 간첩인지도 모르고 있다가 하루아침에 체포되어 고문을 받다가 아이를 유산하고 마지막 면회 때 김 선생에게 중이 되겠다고 했다.

2006년 8월 그날은 남한의 고위 공무원 아무개 씨와 비구니가 되었을지도 모르는 구 씨 생각에 종일 우울했다. 그때 나는 국가청소년위원회(지금은 여성가족부)가 만든 무지개청소년센터에서 북한 출신 청소년을 돕는 일을 하고 있었다. 그날은 옛날이나 지금이나 분단으로 삶의 실타래가 얽힌 사람들이 곳곳에서 뒹굴고 있는 게 보이는 것 같았다.

다시 김석형 선생이 생각난 것은 그 뒤 또 10년이 지난 지난해였다. 우리 집 공사를 해 준 북한 분들과 술을 마시다가 이 얘기가 나왔다. 그분들은 1993년에 북한으로 돌아간 리인모 노인과 2000년에 송환된 비전향 장기수 63명을 잘 기억하고 있었다. 북한에서 얼마나 열렬히 환영했는지를 이야기해 줬다. 나는 두꺼운 내 책을 보여 줬다. 내가 비전향 장기수였던 김 선생을 만나서 이런 일을 했다고. 말투에 자랑이 섞여 있었다.

그 책은 공사하는 일주일 내내 식탁 위에 있었는데 아침마다 펼쳐져 있는 페이지가 달랐다. 누군가 밤에 읽는 것 같았는데 물어보지 않았다. 그래도 나는 김석형 선생이 북에 갔을 때 환영해 주었던 사람이 우리 집에서 이 책을 읽는다는 게 좋았다. 뜻밖의 시간과 장소에서 예기치 않았던 사람들이 인연의 고리로 연결될 때 나는 가슴이 뛴다. 우리는 모두 한반도 분단이라는 보이지 않는 끈을 발목에 감고 있었다.

나는 언젠가 다시 이 이야기를 만날 것이다. 어느 날 내가 평양 신미리에 있는 애국열사릉을 찾을지도 모른다. 그의 묘비에는 "불굴의 통일애국투사"라고 적혀 있다고 한다('북송 비전향 장기수 어

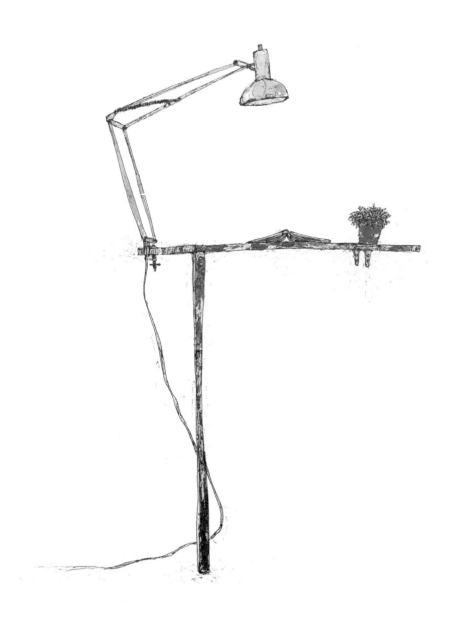

떻게 살고 있나', 〈데일리NK〉 2006. 9. 1. 기사). 나는 그에게 그 이름 너머 여러 다른 모습이 있다는 것을 안다. 그리고 그가 '불굴의 투사'였기에 그 곁에서 피 흘렸던 다른 이들의 이야기도 안다. 그 사람들의 이야기들이 마지막에 어떻게 화해하게 될지 지금은 모르겠다. 그건 그 이야기가 다시 또 나를 찾아오기를 기다려야 할 거다.

◆

오래된 이야기가 아직 살아 있다는 것을 알게 되었을 때 주는 경이로움이 있다. 지난겨울 창비에서 일하는 젊고 유능한 편집자를 만났다. 초면에 하도 열심히 내 이야기를 들어 주어서 나는 그에게 별별 이야기를 다 쏟아 냈다.

1983년 나는 고등학교 1학년이었다. 그해 여름부터 초겨울까지 KBS 특별 생방송 〈이산가족을 찾습니다〉가 전파를 탔다. 밤마다 가족을 찾는 수많은 사연이 소개되었고 극적인 눈물의 상봉을 보느라 많은 이들이 그랬듯이 나도 몇 날 며칠 텔레비전 앞에서 떠날 수가 없었다. 그때도 '이야기'는 내 행동의 동력이었나 보다. 어느 일요일 아침, 도화지 3백 장과 세 가지 색깔 매직펜을 사서 가방에 넣고 씩씩하게 KBS로 갔다. KBS 건물에는 빈틈 하나 없이 다닥다닥 사람 찾는 벽보가 붙어 있었다. 찾는 사람 이름과 헤어졌을 때 상황이 손 글씨로 빽빽이 쓰여 있었다. 그곳에는 서성대며 간절한 눈길로 벽보를 읽는 사람들로 가득했다.

나는 "찾는 분의 이름을 써 드립니다"라는 푯말을 세우고 구석에 자리 잡았다. 혹시라도 글자를 모르는 할머니가 있을까 싶어 종이에 그분들을 대신해 사연을 적어 주고 싶었다. 푯말에 적힌 글을 못 읽으실까 봐 크게 외치기도 했다. 사람들이 너도나도 써 달라고 했고 종이 3백 장은 금방 동이 났다. 글을 몰라서라기보다 누구나 한 장이라도 더 써 붙이고 싶어서 그랬을 거다.

이 일을 그 뒤 까맣게 잊고 있었다. 그러다가 영화 〈국제시장〉을 보다가 생각났다. '아! 나도 저기 있었는데…….' 젊고 잘생긴 편집자가 잘 들어 주는 바람에 온갖 선행 미담을 자랑하고 싶었나 보다. 마침 머릿속에 있었던 이 이야기를 한참 했다. 그러다 좀 머쓱해져서 "가족 찾는 분들 중에 글 모르는 분이 얼마나 있었겠어요. 생각해 보니 그냥 나 좋아서 했던 일이었어요" 하고 서둘러 이야기를 끝냈다.

젊은 편집자는 이렇게 말했다.

"저희 어머니도 그때 남동생을 찾았어요. 그리고 어머니는 글을 모르셨어요."

그의 말 한마디에 30년도 더 지난 이야기가 오늘의 이야기가 되었다. 이 이야기가 아직 끝이 나지 않아서, 내가 새로 만난 어떤 이의 삶과 겹쳐 있어서, 새로운 이야기가 만들어져서 나는 기뻤다. 이야기로 사람들과 연결되는 것이 나는 너무 좋다.

•

이야기는 끊임없이 연결 고리를 만든다. 내 이야기가 다른 이의 이야기와 만날 수도 있고, 다른 이의 이야기가 내 이야기를 불러 내기도 한다. 다른 이가 꼭 아는 사람일 필요도 없다. 책으로도 얼마든지 이야기를 만날 수 있다. 그리고 그 과정에서 우리는 잊고 있었던 어떤 기억과 마주하기도 한다.

제목이 마음에 들어서 샀다. 《우리는 모두 집을 떠난다》(김현미, 돌베개 2014)에는 미등록 이주 노동자의 '보따리' 이야기가 나온다. 네팔인 라이 씨는 늘 단속의 공포에 시달렸고 자신도 어느 순간 다른 이들처럼 한국에서 살아온 시간을 정리할 시간도 없이 추방 될 것을 알고 있었다. 그래서 보따리 하나를 잘 정리해 두고 주변 사람들에게 자신이 붙잡히면 집으로 보내 달라고 부탁해 두었다. 거기에는 아들과 딸의 사진, 형이 보낸 편지, 결혼식 축의금을 적은 공책 같은 것들이 들어 있었다. 사진은 아이들이 처음 밥 먹을 나이가 되었을 즈음의 사진이고(네팔에서는 처음 밥 먹는 날이 중요하다고 한다), 형이 보낸 편지에는 그가 한국에서 22년 동안 일해서 보내 준 돈으로 고향에서 무엇이 바뀌었는지 자세히 적혀 있고, 결혼 식 축의금은 신세를 갚아야 할 사람들의 명단이기도 했다. 그가 챙긴 물건은 그가 어떤 사람인지를 이야기해 주는 것 같다.

보따리라는 말이 주는 고독감 때문이었는지 이 이야기는 언젠가 본 우리 할머니의 보따리를 떠올리게 했다. 우리 할머니는 우리 형제들을 길러 준 분이다. 어머니가 처녀 적에 어머니 집에서 일하셨는데 큰언니가 태어나면서 우리 집으로 오셨단다. 할머니 처지에서 보면 할머니는 평생 동안 '남의 집' 일을 하셨지만 우리한테 그분은 언제나 '우리 할머니'였다.

나는 어릴 적에 할머니 이야기를 들으면서 너무 가난하면 시어머니가 몰래 내 자식을 남의 집에 보내 버릴 수도 있다는 것을, 거기서 아이가 평소에 못 먹어 본 고기를 먹다가 체해서 죽어 버릴 수도 있다는 것을 알았다. 일찍 죽은 신랑은 지금도 해사한 젊은 이로 꿈에 뵌다는 얘기를 들었을 땐 어린 마음에도 왠지 마음이 슬퍼졌다. 씨받이라는 말도 우리 할머니한테서 처음 들었다. 아들을 낳아 주었는데 영감이 갑자기 죽어 버려서 약속한 쌀을 받는 대신 가난한 살림에 아이 하나를 더 키우게 되었다는 이야기에는 괜히 내가 억울한 마음이 들었다.

할머니는 고만고만한 나이의 우리 형제들에게 옛날이야기를 많이 들려줬다. 우리가 잠들면 하얀 생쥐가 콧구멍 속에서 나와서 온 세상을 돌아다니고 그 생쥐가 보는 게 우리 꿈이 된다는 이야기는 한동안 믿었다. 생쥐가 새벽이 되어 다시 콧구멍 속으로 들어가야 아침에 깨어나는데 올망졸망 모여 자는 방에서 누가 내 생쥐를 뭉개 버리면 어떻게 하나 걱정하기도 했다. 우리 할머니는 노래도 불러 주었다. 그래서 "이 풍진 세상을 만났으니"로 시

·

작하는 〈희망가〉는 내 어릴 적 노래가 되었다.

일흔이 넘어서 이제 남의 집 일을 그만두고, 딸네 집으로 가셨다. 혼자 사는 딸은 알코올 중독이었고 가난했다. 나는 그 뒤로도 가끔씩 우리 할머니를 보러 갔다. 어느 날 가 보니 할머니는 조그만 보따리를 싸 놓고 앉아 있었다. 집을 나가겠다고 했다. 남자가 자고 가는 한방에서 딸과 같이 못 살겠다고, 술 마시고 해코지하는 것도 이젠 못 참겠다고 했다. 집 나가려고 단단히 마음먹은 여든 넘은 할머니의 가출 가방. 나는 그 안에 무엇이 들어 있는지 궁금했다.

밤색 작은 가방을 열어 봤다. 통장과 도장, 10원짜리 동전 주머니(점에 10원 하는 화투를 치려면 꼭 필요하다), 모기향 조각들과 성냥 그리고 봉투에 잘 담아 놓은 꽃씨들이었다. 토끼 똥처럼 생긴 분꽃씨와 깨알 같은 채송화씨. 우리 할머니는 나 어릴 적에도 언제나 가을에 꽃씨를 받아 두었다. 얼마 뒤에 우리는 할머니를 수녀님들이 운영하는 요양원으로 옮겨 드렸다. 그곳에서 몇 년을 더 사셨다. 생전에 가장 평안한 시간이었을 거다. 우리 할머니가 요양원 화단에 꽃씨를 심었는지는 알지 못한다. 할머니가 생각나자 봄에 우리 집 마당에 채송화를 심으리라 마음먹었다. 책 속에 나오는 이주 노동자의 보따리 이야기가 채송화를 불러왔다. 이야기는 이렇게 뜬금없이 연결된다.

◆

나는 그렇다. 이주 노동자의 보따리 이야기를 읽으면 늘 가방을 싸 두어야 하는 이들의 불안한 삶이나 미등록 노동자를 이렇게 많이 만들어 내는 사회제도에 관심이 가기보다는, 그 보따리 안에 무엇이 들어 있는지 그게 더 궁금하다. 우리 할머니가 여든이 넘어 가출을 결심하기까지 얼마나 속상한 일이 있었을까 걱정하는 것보다 할머니가 가방 속에 무엇을 챙겼을지 더 궁금했다. 이건 내가 타인의 고통에 민감하지 못해서일까? 사회구조나 제도의 문제를 외면하기 때문일까?

나는 오랫동안 내가 문제가 있다고 생각했다. 1980년대 대학에서 선배들이 민중에 대해 이야기할 때 나는 그게 누구를 말하는지 그림이 안 그려졌다. 노동자와 농민은 내 가까이에 없었고 우연히 만난 어떤 이들은 나한테 좋지 않은 기억을 남기기도 했다. 민중을 사랑하라고 하는데 내가 모르는 사람을 어떻게 사랑해야 할지 난감했다. 그래서 그때 마음속으로 우리 할머니를 생각했다. 우리 할머니가 민중이라면 나는 얼마든지 사랑할 수 있다.

나는 독재 파쇼 집단에 대한 불타는 적개심에도 불이 잘 안 붙었다. 오히려 나한테 지식인이라면 마땅히 해야 할 일이라고 말하며 내가 이해하지 못하는 것을 옳은 것이라고 들이밀고 강요하는 선배에 대한 불만에 불이 붙으려고 했다. 운동권도 아니고 그

•

렇다고 외면하지도 못하고 어정쩡하게 있으면서 냉혈한 이기주의자, 깍쟁이 서울 애 소리를 들었다. 나름 도덕적인 인간이라고 자부하고 살았는데 타인의 고통에 눈감는 비열한 사람이 되는 것은 견디기 어려웠다. 그래서 스스로 찾아 나섰다. 내가 민중이라고 생각하는 사람들을.

구청 사회복지과에도 가고, 고아원도, 양로원도 가 봤는데 혼자 온 대학생 자원봉사자를 별로 반기지 않았다. 그래서 어렵게 찾아간 곳이 맹인학교였다. 수유리에 있는 맹인학교에서 학생들에게 책 읽어 주는 일을 했다. 이때 알았다. 초등학교 과정에 있는 학생들이 대부분 나보다 나이가 많다는 것을, 맹인들 가운데 대부분은 후천적으로 시력을 잃었다는 것을, 사고나 질병으로 손상된 것을 방치해 실명까지 한 사람들은 대부분 가난한 사람들이라는 것을. 학생들은 모두 안마와 침술을 배웠다.

날마다 가서 소설책을 읽어 주었다. 같이 도봉산으로 소풍도 갔다. 희남 씨의 피아노 연주를 들었고, 둘남이와 성가 경연 대회에 나갔고, 한 언니를 데리고 남몰래 산부인과에 가기도 했다. 정이 언니가 뜬 긴 빨간 목도리를 선물로 받았다. 나는 절대로 뜰 수 없는 목도리였다. 그곳에서 그들의 우상인 음악가 송율궁의 이야기를 들었는데, 몇 년 뒤에 우연히 지하철 안에서 승객들에게 적선을 구하는 그를 봤을 때는 가슴이 무너졌다.

•

문순 언니가 졸업하고 취직했을 때 안마 시술소를 찾아간 적이
있다. 대낮에 젊은 여자가 혼자 들어가니 계산대에 있는 남자가
의아하게 쳐다보다가 위로 올라가라고 턱짓을 했다. 빨간 카펫을
다 지나 시멘트 바닥의 옥상에 올라서니 언니가 지내고 있는 옥
탑방이 있었다. 여성 맹인 안마사 여럿이 누워 있었다. 창문도 없
었다. 눈이 보이지 않는 사람한테는 창도 필요 없다고 여겼나 보
다. 언니는 내게 바깥 날씨를 물었다. 화창하다고 말해 줬다. 언니
는 결혼하고도 안마 시술소에서 살았다. 역시 맹인인 남편은 다
른 시술소에서 살았다. 부부는 한 달에 한 번 만났고 아이가 태어
나자 다른 사람에게 맡겼다.

나는 그들과 몇 해를 같이 보내면서 몇 가지를 어렴풋이 알았
다. 가난이 장애를 만든다는 것을, 신체적 장애는 당연히 누려야
하는 많은 것을 함께 앗아 간다는 것을, 그렇다고 해서 이들이 늘
슬프고 불행하기만 한 것은 아니라는 것을. 내가 만난 친구들은
피아노를 기가 막히게 쳤고, 노래를 잘 불렀고, 뜨개질을 잘했고,
산을 잘 탔고, 내 마음을 잘 읽어 줬고, 모여 앉아 이야기하는 것
을 좋아했다.

◆

작년에 대구에 있는 한 교회의 고등학생들이 다문화 사회에 대

해 배우고 싶다고 안산을 찾아왔다. 나는 학생들에게 다문화 감수성 교육을 했다. 진지한 학생들이었다. 그들은 다양한 배경을 가진 사람들과 어떻게 어울려 살아야 하는지에 대해 고민도 많고, 교육 활동에도 적극적으로 참여했다. 아이들은 바쁘게 조별 활동을 하고 있고 나는 모둠 사이를 돌아다니고 있었는데, 한 남학생이 말을 걸었다.

"근데요, 선생님. 다름을 존중하는 것은 좋은데 그 다른 게 절대 악이면 어떻게 하나요?"

"절대 악? 무엇이 절대 악이라고 생각하나요?"

그가 IS(Islamic State)를 말했다면 나도 당연히 그건 받아들일 수 없다고 이야기하고 이유도 설명했을 거다. 그 남학생은 이렇게 말했다.

"동성애요. 동성애는 절대 악이잖아요."

사전에 인솔자가 신신당부를 했다. 다른 이야기는 다 해도 좋은데 동성애 문제는 건드리지 말아 달라고, 목사님 생각이 워낙 완고해서 나중에 문제가 될 수 있다고, 제발 부탁한다고 했다. 뭐라고 답해 줄지 망설였다.

그 학생에게 혹시 동성애자를 만난 적이 있냐고 물어봤다. 없다고 했다. 만나면 안 되는 거 아니냐고 되물었다. 나는 이렇게 말했다. 내 생각에는 어떤 집단을 절대 악이라고 규정하기 전에 그들이 어떤 사람인지 먼저 알아보면 좋겠다고, 그들의 이야기를 직접 들어 보는 것도 좋을 것 같다고, 그런 뒤에도 절대 악이라는 생각이 들면 그때 판단해도 늦지 않을 것 같다고. 그때 내가 할 수 있는 이야기는 이 정도였다. 내 친구 J와 P의 이야기를 해 줄 걸 그랬나.

J는 P를 대학에서 만났다. P는 J가 다니는 대학교의 영어 강사였다. 교수와 학생으로 처음 만났지만 나중에 P가 다른 대학으로 옮긴 뒤에 커플이 되었다. 국적도 다르고, 나이 차이도 열 살 넘게 났다. 더욱이 J는 홀어머니의 외아들이고 어머니는 불같은 성격의 경상도 사람이었다. J는 유쾌하고 밝은 성격이고 P는 섬세하고 자상했다. 둘은 잘 어울렸다. P가 몇 년 뒤에 본국으로 돌아가게 되었다. 홀어머니의 외아들로 자란 경상도 청년 J는 어떻게 할지 한참을 고민했다. 결국 따라가기로 했다. 홀로 어렵게 자신을 키워 준 어머니한테 어떻게 말해야 할까 걱정이 많았다. 그냥 유학 간다고 말하기로 했다. 실제로 대학에 입학 허가를 받았으니 유학 가는 것이기도 했다. 어머니한테는 P가 사는 곳이니 잘 도와줄 거라고 걱정하지 마시라고 했다. 어머니는 아들의 친구 P를 오래전부터 알고 있었다.

떠날 날이 가까워졌다. 부칠 이삿짐을 싸는데 어머니가 가져가라며 새 이불을 싸 들고 왔다. 보자기를 폈다. 비단 혼수 이불이었다.

브라이턴(Brighton)은 영국에서도 성소수자(LGBT)의 비율이 가장 높은 도시 가운데 하나다. 전체 인구의 15%쯤 된다고 한다. 내가 사는 곳에서 가깝다. 프라이드(Pride) 축제 기간에 브라이턴에 다녀왔다. 가게마다 무지개 장식이 가득했다. 은행도 음식점도 슈퍼마켓도 서점도 약국도 옷 가게도 커피점도 온통 깃발과 슬로건을 걸었다. "해피 프라이드" "프라이드를 지지한다" "스티그마와 싸우자" "여기 사랑이 있다" 프라이드는 LGBT(레즈비언, 게이, 바이섹슈얼, 트렌스젠더)를 위한 축제라고 말했다가 린아가 고쳐 줬다. 프라이드는 모든 사람을 위한 축제라고. 커피숍에 앉아 물끄러미 거리를 보는데 과연 동성애자와 이성애자가 보이는 게 아니라 사랑하는 이와 함께 걷는 사람과 그렇지 않은 사람들이 보였다.

◆

기억을 적다 보니 '이야기에 대한 이야기'가 되어 버렸다. 내 삶의 키워드는 아무래도 '이야기'인 것 같다. 나는 다른 사람 이야기를 듣는 걸 좋아하고, 내가 아는 이야기를 들려주는 것을 좋아한다. 사람들끼리 만나서 새로운 이야기가 만들어지는 순간 가슴이 뛴다. 또 옛 이야기가 새로운 이야기로 다시 살아날 때는 설레어 서성인다.

내가 굳이 찾아다닌 것도 아닌데 이야기는 늘 내게 말을 걸었던 것 같다. 그건 아마도 이야기를 많이 가지고 있는 사람들이 곁에 있어서 그런 것 같다. 소수자라고 하는 사람들은 잘나가는 사람들의 지루한 성공담에서 느낄 수 없는 흥미로운 얘깃거리를 많이 가지고 있다. 기쁘고 즐겁지만은 않은, 그렇다고 늘 슬프고 불행하지만도 않은 이야기. 듣다 보면 내 안에 있는 어떤 생각과 감정, 기억의 씨앗과 만나게 되는 이야기들이다.

많은 이야기들이 그 순간 끝나 버리는 것이 아니라 언젠가 또 다른 공간과 시간에서 누군가와 연결되어 새로운 이야기가 된다. 매일 경험하는 짧은 이야기들은 우리가 평생 살면서 만들어 내는 긴 이야기의 일부라는 생각이 든다. 그래서 나는 오늘의 새드엔딩이 10년 뒤에도 새드엔딩이 아니라는 것쯤은 이제 안다. 해피엔딩도 마찬가지일 거다. 슬픈, 기쁜, 행복한, 불행한, 재미있는, 지루한, 신나는, 후회하는, 자랑스러운, 애틋한, 처절한 그리고 용감한 이야기들이 모여서 삶이 된다. 사는 게 이야기를 만들어 가는 과정이라고 생각하니 뭔가 새롭게 시작해 보고 싶은 마음이 든다. 저 아래 깊은 곳에서 용기가 자라는 것 같다.

처음 했던 질문으로 돌아가서 나는 누구인지, 내 이름을 불러 준다는 것은 무엇인지, 나답게 사는 것은 어떤 것인지 생각했다. 이 질문에 대한 답은 사람들마다 다 다를 거다. 지금 내 답은 이렇다. 이야기를 모으는 동화 속 주인공 생쥐 프레드릭처럼 나도 이야기를 모으는 사람인 것 같다. 그럴 때 나다운 것 같다. 지금까지 그랬고 앞으로도 계속 그렇게 살면 좋겠다.

지금은 삶의 배경이 바뀌어서 사는 곳도, 만나는 사람도, 하는 일도 다 달라졌다. 집 안에서는 한국처럼 살지만 도깨비 장식이 달린 빨간색 문을 열고 나서면 어쩔 수 없이 시공간이 다른 나라에 있다. 아무래도 내 삶의 이야기는 지금까지의 시즌을 마치고 새로운 시즌을 준비해야 할까 보다(그러자 애린이와 린아가 응원해 줬다. 많은 시리즈에서 시즌2가 제일 재미있다고! 시즌1에서 자기의 캐릭터를 확실히 드러낸 인물들이 시즌2에서는 훨씬 자유롭게 행동한단다. 큰 격려가 되었다.). 드라마를 한숨 돌리고 다시 시작할 때 '시즌'이라고 이름 붙인 것은 참 적절하다. 나도 한 시절, 한 계절을 보낸 것 같다.

바람이 있다면, 시즌2에서 나는 좀 덜 진지하고 덜 심각하면 좋겠다. 아직 오지 않은 일들을 두려워하지 말고, 지나간 일들을 곱씹지 말고, 실수할까 봐 겁내지 말고, 남 눈치 보지 말고, 좋아하는 것을 씩씩하게 하는 유쾌한 인물이면 좋겠다. 집단 속으로 숨지 말고(이제 그럴 집단도 없다), 스스로 홀로 서 있어도 불안하지 않은 개인이면 좋겠다. 주눅 들지 말고 세상 여러 사람들에게 말 건넬 수 있으면 좋겠다. 그래서 여러 결의 이야기가 나를 찾아오면 좋겠다.

내가 이야기로 살면 좋겠다.

그 이야기가 좋은 이야기라면 좋겠다.

에필로그
Who are you?

친구가 생겼다. 그러자 많은 게 달라졌다.

12월 어느 월요일 낮에 성당에 가만히 앉아 있는데
나이 지긋한 분이 말을 걸었다.
처음이었다. 이곳에서 누가 깊게 말 걸어 준 것이.
그렇게 수잔을 만났다.

일주일 뒤에 그녀는 나를 모임에 초대했다.
작은 방에서 아니타와 리사를 만났다.
네 명이 모여 앉았다.
성탄을 기다리며 성경(요한복음 1장 19~28절)을 읽었다.
수잔은 이 말에 끌린다고 했다.
"Who are you?"

•

성경에는 세례자 요한이

이 질문에 어떻게 대답했는지 적혀 있었는데,

나는 정작 이 질문을 내 자신에게 던지고

마음속에 일어나는 생각을 들여다보았다.

그리고 이렇게 이야기했다.

"사실 저는 이 질문을 거의 몇 달째 붙잡고 있어요.

저는 한국에서 왔는데,

예전에는 이런 질문을 별로 생각하지 않았던 것 같아요.

그땐 직업도 있었고, 바빴고, 주변에 사람들도 많아서

사람들이 불러 주는 나를 나라고 생각했나 봐요.

그런데 이제 전혀 새로운 곳에서 다시 처음부터 시작하려니,

그 모든 포장지를 다 벗은 내가 과연 누구인지

다시 묻게 되네요."

옆에 앉은 아니타가 말했다.

"나도 그 기분 뭔지 알 것 같아요. 나도 그랬어요."

그리고는 따뜻한 눈길로 바라봐 주었다. 푸른 눈이 맑았다.

아니타는 전동휠체어에 앉아 있었다.

MS(Multiple Sclerosis, 다발성경화증)라고 했다.

병이 많이 깊어져서 이제 몸은 움직이지 못하고 말도 어눌했다.

•

맞은편에 앉은 리사가 말했다.

"정체성은 어려운 문제 같아요.

나도 내가 누구인지 늘 묵상해요."

유럽인 억양이 강해서 궁금했는데 프랑스 사람이라고 했다.

그녀가 같이 사는 파트너 얘기를 할 때,

그녀가 레즈비언이라는 것을 알았다.

그녀도 판단하거나 심판하는 존재가 아닌,

사랑의 하느님을 마음에 품고 싶어 했다.

며칠 뒤 수잔과 커피를 마시면서 그녀에게 되물었다.

"당신은 누구인가요?"

일흔이 넘은 이 고운 할머니는 한참을 생각하더니

이렇게 말했다.

"아직 잘 모르겠어. 내가 누구인지 매일 배워 가는 중이야.

앞으로 20년은 더 걸릴걸?

근데 나는 잘 모르겠는 지금 상태가 싫지 않아."

그녀는 오랫동안 수녀로 살았다. 쉰이 넘어서 공동체를 나왔다.

익숙하지 않은 세상에서 다시 삶을 시작했다.

직장을 구해서 돈을 벌고

아버지를 오랫동안 간호했다.

•

성탄을 앞두고 성당의 작은 모임방에 모인 네 사람.
내 또래의 아니타와 리사, 수잔, 그리고 나
다들 각자의 방법으로 대답을 찾아 나가고 있다.
내가 누구인지에 관해.

길동무가 생겨서 참 좋다.

친구가 생기자
나는 여기서 사는 게 조금 좋아지기 시작했다.

후아유

1판 1쇄 발행 • 2018년 2월 26일
1판 6쇄 발행 • 2021년 9월 29일

펴낸이 • 강일우
편집 • 김용희 이혜숙
조판 • (주)이츠북스
펴낸 곳 • (주)창비교육
등록 • 2014년 6월 20일 제2014-000183호
주소 • 04004 서울특별시 마포구 월드컵로12길 7
전화 • 1833-7247
팩스 • 영업 070-4838-4938 / 편집 02-6949-0953
홈페이지 • www.changbiedu.com
전자우편 • textbook@changbi.com

ⓒ 이향규 2018
ISBN 979-11-86367-89-6 03810